CHRISTIAN FÜRCHTEGOTT GELLERT

Leben der schwedischen Gräfin von G***

HERAUSGEGEBEN VON
JÖRG-ULRICH FECHNER

PHILIPP RECLAM JUN. STUTTGART

Universal-Bibliothek Nr. 8536 [2]

Bibliographisch ergänzte Ausgabe 1985
Gesamtherstellung: Reclam, Ditzingen. Printed in Germany 1990

ISBN 3-15-008536-5

Leben der Schwedischen Gräfinn von G***.

Erster Theil.

Zweyte Auflage.

Leipzig,
bey Johann Wendler, 1750.

ERSTER TEIL

Vielleicht würde ich bei der Erzählung meines Geschlechts ebenso beredt oder geschwätzig als andre sein, wenn ich anders viel zu sagen wüßte. Meine Eltern sind mir in den zartesten Jahren gestorben, und ich habe von meinem Vater, einem Livländischen von Adel, weiter nichts erzählen hören, als daß er ein rechtschaffner Mann gewesen ist und wenig Mittel besessen hat.

Mein Vetter, der auch ein Landedelmann war, doch in seiner Jugend studieret hatte, nahm mich nach meines Vaters Tode zu sich auf sein Landgut und erzog mich bis in mein sechzehntes Jahr. Ich habe die Worte nicht vergessen können, die er einmal zu seiner Gemahlin sagte, als sie ihn fragte, wie er es künftig mit meiner Erziehung wollte gehalten wissen. »Vormittage«, fing er an, »soll das Fräulein als ein Mann und Nachmittage als eine Frau erzogen werden.« Meine Muhme hatte mich sehr lieb, zumal weil sie keine Tochter hatte, und sie sah es gar nicht gern, daß ich wie ihre jungen Herren die Sprachen und andre Pedantereien, wie sie zu reden pflegte, erlernen sollte. Sie hätte mich dieser Mühe gern überhoben; allein ihr Gemahl wollte nicht. »Fürchten Sie sich nicht«, sprach er zu ihr, »das Fräulein lernt gewiß nicht zuviel[1]. Sie soll nur klug und gar nicht gelehrt werden. Reich ist sie nicht, also wird sie niemand als ein vernünftiger Mann nehmen. Und wenn sie diesem gefallen und das Leben leichtmachen helfen soll, so muß sie klug, gesittet und geschickt werden.« Dieser rechtschaffene Mann hat keine Kosten an mir gesparet; und ich würde gewiß noch etliche Jahre eher vernünftig geworden sein, wenn seine Frau einige Jahre eher gestorben wäre. Sie hat mich zwar in Wirtschaftssachen gar nicht unwissend gelassen; allein sie setzte mir zu gleicher Zeit eine Liebe zu einer solchen Galanterie in den Kopf, bei der man sehr glücklich eine stolze Närrin werden kann.[2] Ich war freilich damals noch nicht alt; allein ich war alt genug, eine Eitelkeit an mich zu nehmen, zu der unser Geschlecht recht versehn zu sein scheinet. Aber zu meinem Glücke starb meine Frau Base, ehe ich noch das zehnte Jahr erreicht hatte[3], und gab meinem Vetter durch ihren Tod die Freiheit, mich desto sorgfältiger zu erziehen und die übeln Eindrücke wieder auszulöschen, welche ihr Umgang und ihr Beispiel in mir gemacht hatten. Ich hatte von Natur ein gutes Herz, und er durfte also nicht sowohl wider meine Neigungen streiten, als sie nur ermuntern. Er lieh mir seinen Verstand, mein Herz recht in Ordnung zu bringen, und lenkte meine Begierde zu gefallen nach und nach von solchen Dingen, die das Auge einnehmen, auf diejenigen, welche die Hoheit der Seele ausmachen. Er sah, daß ich wußte, wie schön ich war; um desto mehr lehrte er mich den wahren Wert eines Menschen kennen und an solchen Eigenschaften einen Geschmack finden, die mehr durch einen geheimen Beifall der Vernunft und des Gewissens als durch eine allgemeine Bewunderung belohnet werden. Man glaube ja nicht, daß er eine hohe und tiefsinnige Philosophie mit mir durchging. O nein, er brachte mir die Religion auf eine vernünftige Art bei und überführte mich von den großen Vorteilen der Tugend, welche sie uns[4] in jedem Stande, im Glücke und Unglücke, im Tode und nach diesem Leben bringt. Er hatte die Geschicklichkeit, mir alle diese Wahrheiten nicht sowohl in das Gedächtnis, als in den Verstand zu prägen. Und diesen Begriffen, die er mir beibrachte, habe ich's bei reifern Jahren zu verdanken gehabt, daß ich die Tugend nie als eine beschwerliche Bürde, sondern als die angenehmste Gefährtin betrachtet habe, die uns die Reise durch die Welt erleichtern hilft. Ich glaube auch[5] gewiß, daß die Religion, wenn sie uns vernünftig und gründlich beigebracht wird, unsern Verstand ebenso vortrefflich aufklären kann, als sie unser Herz verbessert. Und viele Leute würden mehr Verstand zu den ordentlichen Geschäften des Berufs und zu einer guten Lebensart haben, wenn er durch den Unterricht der Religion wäre geschärft worden. Ich durfte meinem Vetter nichts auf sein Wort glauben, ja er befahl mir in Dingen, die noch über meinem Verstand waren, so lange zu zweifeln, bis ich mehr Einsicht bekommen würde. Mit einem Worte, mein Vetter lehrte mich nicht die Weisheit, mit der wir in Gesellschaft prahlen oder, wenn es hochkömmt, unsere Ehrbegierde einige Zeit stillen, sondern die von dem Verstande in das Herz dringt und uns gesittet, liebreich, großmütig, gelassen und im Stillen ruhig macht. Ich würde nichts anders tun als beweisen, daß mein Vetter seine guten Absichten sehr schlecht bei mir erreicht hätte, wenn ich mir alle diese schönen Eigenschaften beilegen und sie als meinen Charakter den Lesern aufdringen wollte. Es wird am besten sein, wenn ich mich weder lobe noch tadle und es auf die Gerechtigkeit der Leser ankommen lasse, was sie sich aus meiner Geschichte für einen Begriff von meiner Gemütsart machen wollen. Ich fürchte, wenn ich meine Tugenden und Schwachheiten noch so aufrichtig bestimmte, daß ich doch dem Verdachte der Eigenliebe oder dem Vorwurfe einer stolzen Demut nicht würde entgehen können.

Ich war sechzehn Jahre alt, da ich an den schwedischen Grafen von G** verheiratet wurde. Mit dieser Heirat ging es folgendermaßen zu. Der Graf hatte in dem Livländischen Güter, und zwar lagen sie nahe an meines Vetters[6] Rittersitze. Das Jahr vor meiner Heirat hatte der Graf nebst seinem Vater eine Reise aus Schweden auf diese Güter getan. Er hatte mich etlichemal bei meinem Vetter gesehen und gesprochen. Ich hatte ihm gefallen, ohne mich darum zu bestreben. Ich war ein armes Fräulein; wie konnte ich also auf die Gedanken kommen, einen Grafen zu fesseln, der sehr reich, sehr wohlgebildet, angesehen bei Hofe, schon ein Obrister über ein Regiment und vielleicht bei einer Prinzessin willkommen war? Doch daß ich ihm nicht habe gefallen wollen, ist unstreitig mein Glück gewesen. Ich tat gelassen und frei gegen ihn, weil ich mir keine Rechnung auf sein Herz machte, anstatt daß ich vielleicht ein gezwungenes und ängstliches Wesen an mich genommen haben würde, wenn ich ihm hätte kostbar vorkommen wollen. In der Tat gefiel er mir im Herzen sehr wohl; allein sosehr ich mir ihn heimlich wünschen mochte, so hielt ich's doch für unmöglich, ihn zu besitzen.

Nach einem Jahre schrieb er an mich, und der ganze Inhalt seines Briefes bestund darinne, ob ich mich entschließen könnte, seine Gemahlin zu werden und ihm nach Schweden zu folgen. Sein Herz war mir unbeschreiblich angenehm, und die großmütige Art, mit der er mir's anbot, machte mir's noch angenehmer. Es gibt eine gewisse[7] Art, einem zu sagen, daß man ihn liebt, welche ganz bezaubernd ist. Der Verstand tut nicht viel dabei, sondern das Herz redet meistens allein. Vielleicht wird man das, was ich sagen will, am besten aus seinem Briefe selber erkennen.

Mein Fräulein,

Ich liebe Sie. Erschrecken Sie nicht über dieses Bekenntnis, oder wenn Sie ja über die Dreistigkeit, mit der ich's Ihnen tue, erschrecken müssen, so bedenken Sie, ob dieser Fehler nicht eine Wirkung meiner Aufrichtigkeit sein kann. Lassen Sie mich ausreden, liebstes Fräulein. Doch was soll ich sagen? Ich liebe Sie; dies ist es alles. Und ich habe Sie von dem ersten Augenblicke an geliebet, da ich Sie vor einem Jahre gesehen und gesprochen habe. Ich gestehe Ihnen aufrichtig, daß ich mich bemüht habe, Sie zu vergessen, weil es die Umstände in meinem Vaterlande verlangten; aber alle meine Mühe ist vergebens gewesen und hat zu nichts gedienet, als mich von der Gewißheit meiner Liebe und von Ihren

Verdiensten vollkommner zu überzeugen. Ist es möglich, werden Sie durch meine Zärtlichkeit beleidiget?
Nein, warum sollte Ihnen die Liebe eines Menschen zuwider sein, dessen Freundschaft Sie sich haben gefallen
lassen. Aber werden Sie es auch gelassen anhören, wenn
ich Ihnen mein Herz noch deutlicher entdecke? Darf ich
wohl fragen, ob Sie mir Ihre Liebe schenken, ob Sie mir
als meine Gemahlin nach Schweden folgen wollen? Sie
sind zu großmütig, als daß Sie eine Frage unbeantwor-
tet lassen sollten, von deren Entscheidung meine ganze
Zufriedenheit abhängt. Ach, liebste Freundin, warum
kann ich nicht den Augenblick erfahren, ob ich Ihrer
Gewogenheit würdig bin, ob ich hoffen darf? Überlegen Sie, was Sie, ohne den geringsten Zwang sich an-
zutun, einem Liebhaber antworten können, der in der
Zärtlichkeit und Hochachtung gegen Sie seine größten
Verdienste sucht. Ich will Ihr Herz nicht übereilen. Ich
lasse Ihnen zu Ihrem Entschlusse soviel Zeit, als Sie verlangen. Doch sage ich Ihnen zugleich, daß mir jeder
Augenblick zu lang werden wird, bis ich mein Schicksal
erfahre. Wie inständig müßte ich Sie nicht um Ihre
Liebe bitten, wenn ich bloß meiner Empfindung und
meinen Wünschen folgen wollte! Aber nein, es liegt mir
gar zu viel an Ihrer Liebe, als daß ich sie einem andern
Bewegungsgrunde als Ihrer freien Einwilligung zu danken haben wollte. So entsetzlich mir eine unglückliche
Nachricht sein wird, so wenig wird sie doch meine
Hochachtung und Liebe gegen Sie verringern. Sollte ich
deswegen ein liebenswürdiges Fräulein hassen können,
weil sie nicht Ursachen genug findet, mir ihr Herz auf
ewig zu schenken? Nein, ich werde nichts tun als fortfahren, Sie, meine Freundin, hochzuschätzen, und mich
über mich selbst[8] beklagen. Wie sauer wird es mir, diesen Brief zu schließen! wie gern sagte ich Ihnen noch
hundertmal, daß ich Sie liebe, daß ich Sie unaufhörlich
liebe, daß ich in Gedanken auf Ihre geringste Miene bei
meinem Bekenntnisse Achtung gebe, aus Begierde, etwas

Vorteilhaftes für mich darin zu finden. Leben Sie wohl. Ach, liebstes Fräulein, wenn wollen Sie mir antworten?

Der Vater des Grafen hatte zugleich an meinen Vetter geschrieben. Kurz, ich war die Braut eines liebenswürdigen Grafen. Ich wollte wünschen, daß ich sagen könnte, was von der Zeit an in meinem Herzen vorging. Ich hatte noch nie geliebt. Wie unglaublich wird dieses Bekenntnis vielen von meinen Leserinnen vorkommen! Sie werden mich deswegen wohl gar für einfältig halten oder sich einbilden, daß ich weder schön noch empfindlich gewesen bin, weil ich in meinem sechzehnten Jahre nicht wenigstens ein Dutzend Liebeshändel zählen konnte. Doch ich kann mir nicht helfen. Es mag nun zu meinem Ruhme oder zu meiner Schande gereichen, so kann man sich darauf verlassen, daß ich noch nie geliebt hatte, ob ich gleich mit vielen jungen Mannspersonen umgegangen war. Nunmehr aber fing mein Herz auf einmal an zu empfinden. Mein Graf war zwar auf etliche vierzig Meilen von mir entfernt; allein die Liebe machte mir ihn gegenwärtig. Wo ich stand, da war er bei mir. Es war nichts Schöners, nichts Vollkommners als er. Ich wünschte nichts als ihn. Ich fing oft mit ihm an zu reden. Er erwies mir in meinen Gedanken allerhand Liebkosungen, und ich weigerte mich mit einer verschämten Art, sie anzunehmen. Vielen wird dieses lächerlich vorkommen, und ich habe nicht viel dawider einzuwenden. Eine unschuldige, eine recht zärtliche Braut ist in der Tat eine Kreatur aus einer andern Welt, die man nicht ohne Erstaunen betrachten kann. Ihr Vornehmen, ihre Sprache, ihre Mienen, alles wird zu einem Verräter ihres Herzens, je sorgfältiger sie es verbergen will. Ich aß und trank beinahe[9] viele Wochen nicht, und ich blühete doch dabei. Ich sage es im Ernste, daß ich glaube, die Liebe kann uns einige Zeit erhalten. Ich ward viel reizender, als ich zuvor gewesen war.

Mein Vetter machte sich nunmehr mit mir auf die Reise nach Schweden. Es begleiteten mich verschiedene junge Herren und Fräuleins einige Meilen, und der Abschied von ihnen ward mir gar nicht sauer. Unsere Reise ging glücklich vonstatten; und es ist mir auf einem Wege von etlichen vierzig Meilen nicht das geringste begegnet, außer daß mir jeder Augenblick bis zum Anblicke meines Grafen zu lang ward.[10]

Ich kam also, wie ich gesagt habe, in Begleitung meines Vetters glücklich auf dem Landgute des Grafen an. Ich fand ihn viel liebenswürdiger, als er mir vor einem Jahre vorgekommen war. Man darf sich darüber gar nicht verwundern. Damals wußte ich noch nicht, daß er mich liebte; itzt aber wußte ich's. Eine Person wird gemeiniglich in unsern Augen vollkommner und verehrungswürdiger, wenn wir sehen, daß sie uns liebt. Und wenn sie auch keine besondern Vorzüge hätte, so ist ihre Neigung zu uns die Vollkommenheit, die wir an ihr hochschätzen. Denn wie oft lieben wir nicht uns in andern? Und wo würde die Beständigkeit in der Liebe herkommen, wenn sie nicht von unserm eigenen Vergnügen unterhalten würde?

Mein Bräutigam, mein lieber Graf, erwies mir bei meiner Ankunft die ersinnlichsten Liebkosungen; und ich glaube nicht, daß man glückseliger[11] sein kann, als ich an seiner Seite war. Unser Beilager wurde ohne Gepränge, mit einem Worte, sehr still, aber gewiß sehr vergnügt vollzogen. Manches Fräulein wird diese beiden Stücke nicht zusammenreimen können. Dem zu Gefallen muß ich eine kleine Beschreibung von meinem Beilager machen. Ich war etwan acht Tage in Schweden und hatte mich völlig von der Reise wieder erholet, als mein Graf mich bat, den Tag zu unserer Vermählung zu bestimmen. Ich versicherte ihn, daß ich die Ehre, seine Gemahlin zu heißen, nie zu zeitig erlangen könnte; doch würde mir kein Tag angenehmer sein als der, den er selber dazu ernennen würde. Wir setzten, ohne uns weiter zu beratschlagen, den folgenden Tag an. Er kam des Morgens zu mir in mein Zimmer und fragte mich, ob ich noch entschlossen wäre, heute seine Gemahlin zu werden. Ich antwortete ihm mit halb niedergeschlagnen Augen und mit einem freudigen und beredten Kusse. Ich hatte nur einen leichten, aber wohl ausgesuchten Anzug an. »Sie gefallen mir vortrefflich in diesem Anzuge«, fing der Graf zu mir an. »Er ist nach Ihrem Körper gemacht, und Sie machen ihn schön. Ich dächte, Sie legten heute keinen andern Staat an.« »Wenn ich Ihnen gefalle, mein lieber Graf«, versetzte ich, »so bin ich schön genug angeputzt.« Ich war also in meinem Brautstaate, ohne daß ich's selber gewußt hatte. Wir redten den ganzen Morgen auf das zärtlichste miteinander. Ich trat endlich an das Klavecin und spielte eine halbe Stunde und sang auf Verlangen meines Grafen und meines eigenen Herzens dazu. Auf diese Art kam der Mittag herbei. Der Vater meines Grafen (denn die Mutter war schon lange gestorben und die einzige Schwester auch) kam nebst meinem Vetter zu uns. Sie statteten ihren Glückwunsch ab und sagten, daß der Priester schon zugegen wäre. Wir gingen darauf herunter in das Tafelzimmer. Die Trauung ward sehr bald vollzogen, und wir setzten uns zur Tafel, nämlich wir viere und der Priester. Die Tafel war etwan mit sechs oder acht Gerichten besetzt. Dieses waren die Anstalten[12] zu meiner Vermählung. Sie wird mancher Braut lächerlich und armselig vorkommen. Gleichwohl war ich sehr wohl damit zufrieden. Ich war ruhig, oder besser zu reden, ich konnte recht zärtlich unruhig sein, weil mich nichts von dem rauschenden Lärmen störte, der bei den gewöhnlichen Hochzeitfesten nur Qual der Vermählten zu sein pflegt. Nach der Tafel fuhren wir spazieren, und zwar zu dem Herrn R**, der meinen Gemahl auf seinen Reisen begleitet hatte und itzt auf einem kleinen Landgute etliche Meilen von uns wohnte. Mein Gemahl liebte diesen Mann ungemein. »Hier bringe ich Ihnen«, fing er zu ihm an, »meine liebe Gemahlin. Ich habe mich heute mit ihr trauen lassen. Ist es nicht wahr, ich habe vortrefflich gewählet? Sie sollen ein Zeuge von meinem und ihrem Vergnügen sein; kommen Sie, und begleiten Sie uns wieder zurück.« Wir fuhren also in seiner Gesellschaft wieder auf unser Landgut zurück, ohne uns aufzuhalten. Kurz, der Abend verstrich ebenso vergnügt als der Mittag.

Itzt wundere ich mich, daß ich meinen Gemahl noch nicht beschrieben habe. Er sah bräunlich im Gesichte aus und hatte ein Paar so feurige und blitzende Augen, daß sie einem eine kleine Furcht einjagten, wenn man sie allein betrachtete. Doch seine übrige Gesichtsbildung wußte dieses Feuer so geschickt zu dämpfen, daß nichts als Großmut und eine lebhafte Zärtlichkeit aus seinen Mienen hervorleuchtete. Er war vortrefflich gewachsen. Ich will ihn nicht weiter abschildern. Man verderbt durch die genaue Beschreibungen oft das Bild, das man seinen Lesern von einer schönen Person machen will. Genug, mein Graf war in meinen Augen der schönste Mann.

Nicht lange nach unserer Vermählung mußte mein Gemahl zu seinem Regimente. Sein Vater, der bei seinem hohen Alter noch munter und der angenehmste Mann war, wollte mir die Abwesenheit meines Gemahls erträglich machen und reisete mit mir auf seine übrigen Güter. Auf dem einen traf ich eine sehr junge und schöne Frau an, die man für die Witwe des Oberaufsehers der Güter ausgab. Diese Frau hatte so viel Reizendes an sich und so viel Gefälliges und Leutseliges in ihrem Umgange, daß ich ihr auf den ersten Anblick gewogen und in kurzer Zeit ihre gute Freundin ward. Ich bat, sie sollte mich wieder zurückbegleiten und bei mir leben. Sie sollte nicht meine Bediente, sondern meine gute Freundin sein. Und wenn sie nicht länger bei mir bleiben wollte, so wollte ich ihr eine ansehnliche Versorgung schaffen. Sie nahm diesen Antrag mit Tränen an und schützte bald ihren kleinen Sohn, bald die Lust zu einem stillen Leben vor, warum sie mir nicht folgen könnte. Sie ging mir indessen nicht von der Seite und bezeigte so viel Ehrerbietung und Liebe gegen mich, daß ich sie hundertmal bat, mir zu sagen, womit ich ihr dienen könnte. Allein sie schlug alle Anerbietungen recht großmütig aus und verlangte nichts als meine Gewogenheit. Der alte Graf wollte wieder fort, und indem mich die junge Witwe an den Wagen begleitete, so sah ich ein Kind in dem untersten Gebäude des Hofes am Fenster stehen. Ich fragte, wem dieses Kind wäre. Die gute Frau kam vor Schrecken ganz außer sich. Sie hatte mich beredt, daß ihr Sohn unlängst die Blattern gehabt hätte. Und damit ich mich nicht fürchten sollte, so hatte sie mir ihn bei meinem Dasein, ungeachtet meines Bittens, nicht wollen sehen lassen. Allein ich sahe, daß diesem Knaben nichts fehlete, und ich ließ nicht nach, bis man ihn vor mich brachte. Hilf Himmel! wie entsetzte ich mich, als ich in seinem Gesichte das[13] Ebenbild meines Gemahls antraf. Ich konnte kein Wort zu dem Kinde reden. Ich küßte es, umarmte zugleich seine Mutter und setzte mich den Augenblick in den Wagen. Der alte Graf merkte meine Bestürzung und entdeckte mir mit einer liebreichen Aufrichtigkeit das ganze Geheimnis. »Die Frau«, sprach er, »die Sie gesehen haben, ist die ehemalige Geliebte Ihres Gemahls. Und wenn Sie dieses Geständnis beleidiget, so zürnen Sie nicht sowohl auf meinen Sohn, als auf mich. Ich bin an der Sache schuld. Ich habe ihn von Jugend auf mit einer besondern Art erzogen, die Ihnen in manchen Stücken ausschweifend vorkommen dürfte. Mein Sohn mußte in mir nicht sowohl seinen Vater, als seinen Freund lieben und verehren. Er durfte mich nicht fürchten, als wenn er mir etwas verschwieg. Daher gestund er mir alles, und ich erhielt dadurch Gelegenheit, ihn von tausend Torheiten abzuziehen, ehe er sie beging, oder doch, ehe er sich daran gewöhnete. Ich wußte, ehe ich meinen Sohn auf Reisen schickte, daß er ein gewisses Frauenzimmer vom bürgerlichen Stande liebte, welches meine Schwester als eine Waise sehr jung zu sich genommen und, weil das Kind viel Lebhaftigkeit besaß, in der Gesellschaft ihrer einzigen Tochter wohl hatte erziehen lassen. Mein Sohn hatte mir aus dieser Liebe nie ein Geheimnis gemacht. Er bat mich, da er seine Reisen antrat, daß ich ihm erlauben möchte, dieses Frauenzimmer als seine gute Freundin mitzunehmen. Kurz, ich war entweder zu schwach, ihm diese Bitte abzuschlagen, oder ich willigte mit Fleiß darein, um ihn von den gefährlichen Ausschweifungen der Jugend durch ihre Gesellschaft abzuhalten. Und dieses ist eben das Frauenzimmer, das Sie itzt gesehen und nach der gemeinen Rede für eine Witwe gehalten haben. Sie besitzt sehr gute Eigenschaften, und ich habe ihr zehntausend Taler ausgesetzt, damit sie heiraten kann, wenn es ihr beliebt. Für ihren Sohn habe ich auch etwas Gewisses zu seiner Erziehung bestimmt. Und wenn Ihnen diese Frau gefährlich scheint, so will ich sie binnen wenig Tagen nach Livland auf meine Güter schicken und ihr daselbst alle mögliche Versorgung verschaffen.«

Man glaube ja nicht, daß ich die ehemalige Geliebte meines Gemahls zu hassen anfing. Nein, ich liebte sie, und die Liebe besänftigte die Eifersucht. Ich bat, daß er sie mit einer anständigen Heirat versorgen und sie entfernen möchte. Bei unserer Zurückkunft traf ich meinen Gemahl schon an. Sosehr ich von der Gewißheit seiner Liebe versichert war, so konnte ich doch nicht ruhig werden, bis ich ihn durch allerhand kleine Kaltsinnigkeiten nötigte, ein Geheimnis aus mir herauszulocken, das mein Herz nicht umsonst entdecket haben wollte. Er erschrak und beklagte sich über die Unvorsichtigkeit seines Vaters, daß er mich an einen Ort geführet hätte, der unsrer Zärtlichkeit so nachteilig sein könnte. Er gab den Augenblick Befehl, daß man dieses Frauenzimmer nebst ihrem Sohne entfernen und alles, was sie verlangte, zu ihrem Unterhalte ausmachen sollte. Dieses geschah auch binnen acht Tagen. Ich konnte keine deutlichere Probe von seiner Treue verlangen, und es war mir unmöglich, ihn wegen dieser Sache auch nur einen Augenblick zu hassen, ob ich mich gleich von aller Unruhe nicht freisprechen will.

Er gestund mir, daß er dieses Frauenzimmer gewiß zu seiner Gemahlin erwählet haben würde, wenn er die Einwilligung vom Hofe hätte erhalten können. In der Tat verdiente sie dieses Glück so wohl als ich. Ich sah beinahe keinen Vorzug, den ich vor ihr hatte, als daß ich adlig geboren war. Und wie geringe ist dieser Vorzug, wenn man ihn vernünftig betrachtet! Sie hatte sich gar nicht aus Leichtsinn ergeben. Die Ehe war der Preis gewesen, für den sie ihm ihr Herz und sich überlassen hatte. Der Vater des Grafen hatte die Liebe und die Wahl seines Sohnes gebilliget. Sie kannte das edelmütige Herz ihres Geliebten. Sie war von der Aufrichtigkeit seiner Zärtlichkeit überzeugt. Ein Frauenzimmer, das sich unter solchen Umständen in eine vertrauliche Liebe einläßt, verdienet eher Mitleiden als Vorwürfe. Mein Gemahl erzählte mir einen Umstand, der Carolinens Wert, so will ich seine Geliebte künftig nennen, sehr verschönert. Sobald sie gesehen, daß er die Einwilligung, sich mit ihr zu vermählen, nicht würde erhalten können, ohne dabei sein Glück in Gefahr zu setzen und die Gnade des Hofes zu verlieren, so hatte sie sich des Rechts auf sein Herz freiwillig begeben. Er zeigte mir folgenden Brief von ihr, der mich wegen seines großmütigen Inhalts ungemein gerühret hat.

Mein lieber Graf,

Ich höre, daß man Ihnen den Entschluß, mich für Ihre Gemahlin zu erklären, sehr sauer macht. Sie dauern mich, weil ich gewiß weiß, daß Sie mich lieben und daß Sie ebensoviel Überwindung brauchen, mir Ihr Wort nicht zu halten, als es mich Mühe kostet, meine Ansprüche auf das edelste und großmütigste Herz fahrenzulassen. Doch wenn ich einmal meinen Grafen verlieren soll, so will ich ihn mit Ruhm verlieren. Kurz, mein liebster Graf, ich opfere Ihrem Glücke und Ihrem Stande meine Liebe und meine Zufriedenheit auf und vergesse das schmeichelhafte Glück, Ihre Gemahlin zu werden, auf ewig. Sie sind frei und können sich zu einer Wahl entschließen, welche Ihnen nur immer gefällt. Ich bin alles zufrieden, wenn ich nur sehe, daß Sie glücklich wählen und die Zufriedenheit an der Seite Ihrer Gemahlin erhalten, die ich Ihnen durch meine Liebe habe verschaffen wollen. Dieses ist, wie der Himmel weiß, mein größter Wunsch. Und was gehört mehr zu der Aufrichtigkeit eines solchen Wunsches, als daß man Sie liebt! Ich mache Ihnen nicht den geringsten Vorwurf. Sie haben in meinen Augen Ihr Wort vollkommen gehalten; denn ich bin überzeugt, daß Sie es erfüllen würden, wenn es bei Ihnen stünde. Ich werde mich auch nie über mich selbst beklagen. Ich bin die Ihrige unter der Bedingung gewesen, daß Sie mich einst öffentlich dafür erklären würden. Ich habe Ihnen also bei aller meiner Zärtlichkeit doch nie meine Tugend aufgeopfert. Nein, das Andenken meiner Liebe wird mir allemal die größte Beruhigung geben, so traurig auch mein künftiges Schicksal der Welt vorkommen wird. Vermählen Sie sich, mein lieber Graf, und denken Sie künftig nur an mich als an Ihre Freundin. Diese Belohnung verdiene ich. Leben Sie wohl, und lassen Sie mir auf einem Ihrer Güter einen Platz anweisen, wo ich nebst meinem Sohne in der Stille leben kann. Verlieren Sie weiter kein Wort. Ich bleibe bei meinem Entschlusse, Ihnen zu beweisen, daß ich Ihr Glück meiner Wohlfahrt vorziehe. Leben Sie wohl, mein lieber Graf.

Carolinens großmütigem Entschlusse hatte ich's also zu danken, daß mir der Graf zuteil worden war. Sie hatte sich nach diesem Briefe nicht mehr als noch einmal von ihm sprechen lassen und sich sogleich auf das Landgut begeben, wo ich sie antraf. Er versicherte mich, daß er sie seit anderthalb Jahren nicht gesehen, und ich hätte ihr gern das Vergnügen gegönnt, den Grafen vor ihrer Abreise nach Livland noch einmal zu sprechen, wenn es der Wohlstand hätte erlauben wollen.

Mein Graf verdoppelte seine Bemühungen, mir zu gefallen; und der Himmel weiß, daß er der liebenswürdigste Mann war, den man kaum zärtlicher und edler denken konnte. Er war vernünftig und gesittet gewesen, ehe er ein Soldat geworden war, und daher hatte er nicht das geringste von dem Rohen und Wilden an sich genommen, das dieser Lebensart sonst eigen zu sein pflegt. Er war die Gutheit und Menschenliebe selbst, und dennoch ward er im ganzen Hause so gefürchtet, daß der kleinste Wink an seine Leute die Wirkung des nachdrücklichsten Befehls tat. Er schien mir vollkommen zu gehorchen; es war ihm unmöglich, mir etwas abzuschlagen; er hielt alles für genehm, was ich verlangte. Allein mitten in dieser zärtlichen Untertänigkeit wußte er sich bei mir in einer gewissen Ehrfurcht zu erhalten, daß ich bei aller meiner Herrschaft nicht sowohl meinen Willen, als vielmehr sein Verlangen in Gedanken zu Rate zog und in der Tat nichts unternahm, als was er befohlen haben würde, wenn er hätte befehlen wollen. Er war der ordentlichste Mann in seinen Geschäften und band sich doch selten an die Zeit. Er arbeitete, sobald er sich geschickt zur Arbeit fühlete, und arbeitete so lange fort, als er sich in dieser Verfassung merkte. Allein er ließ auch von seinen Verrichtungen nach, sobald als er keine Lust mehr dazu verspürete. Daher war er stets munter, weil er sich niemals zu sehr ermüdete, und hatte stets Zeit zu den Vergnügungen übrig, weil er die Zeit niemals mit vergebnen Bemühungen zu arbeiten verschwendete. Er hatte eine sehr schöne Bibliothek auf seinen Reisen gesammlet. Ich verstund Französisch und etwas Latein und Italienisch. Der Büchersaal ward mir in kurzer Zeit an der Seite meines Gemahls der angenehmste Ort. Er las mir aus vielen Büchern, die teils historisch, teils witzig, teils moralisch waren, die schönsten Stellen vor und brachte mir seinen guten Geschmack unvermerkt bei. Und ob ich's gleich nicht allemal sagen konnte, warum eine Sache schön oder nicht schön war, so war doch meine Empfindung so getreu, daß sie mich selten betrog. Unsere Ehe[14] selbst war nichts als Liebe und unser Leben nichts als Vergnügen. Wir hatten fast niemanden zu unserm Umgange als uns. Mein Gemahl unterhielt mich, ich ihn und unser alter Vater uns alle beide. Dieser Mann von siebenzig Jahren vertrat die Stelle von sechs Personen. Seine Erfahrung in der Welt, seine brauchbare Gelehrsamkeit und sein zufriednes und redliches Herz machten ihn stets munter und belebt in seinen Gesprächen. Ich kann sagen, daß ich diesen Greis in drei Jahren fast keine Stunde unruhig gesehen habe; denn so viele Jahre waren in meiner Ehe verstrichen, als er starb. Gott, wie lehrreich war das Ende dieses Mannes! Er bekam sieben Tage vor seinem Tode Schwulst in den Beinen. Diese trat immer weiter, und er sah mit jedem Tage sein Ende näher kommen. Er fragte den Arzt, wie lange es noch mit ihm dauern würde. »Wahrscheinlicherweise«, antwortete dieser, »über drei Tage nicht.« »Recht gut«, versetzte der alte Graf. »Gott sei gedankt, daß meine Wallfahrt so glücklich abgelaufen ist. Also habe ich nur noch drei Tage von dem Leben zuzubringen, von dem ich meinem Schöpfer Rechenschaft geben soll? Ich werde sie nicht besser anwenden können, als wenn ich durch meine Freudigkeit den Meinigen ein Beispiel gebe, wie leicht und glückselig man stirbt, wenn man vernünftig und tugendhaft gelebt hat.« Er ließ darauf alle seine Bedienten zusammenkommen. Er rühmte ihre Treue und bat sie als ein Vater, daß sie die Tugend stets vor Augen haben sollten. »Ich«, fing er an, »bin euer Herr und Aufseher gewesen. Der Tod hebt diesen Unterschied auf, und ich gehe in eine Welt, wo ihr soviel als ich sein werdet und wo ihr für die Erfüllung eurer Pflichten ebensoviel Glück erhalten werdet, als ich für die Erfüllung der meinigen. Lebt wohl, meine Kinder! Wer mich liebhat und mir vor meinem Tode noch ein Vergnügen machen will, der verspreche mir mit der Hand, daß er meine Lehren und meine Bitten erfüllen will.« Er befahl darauf, jedwedem eine gewisse Summe Geldes auszuteilen. Er ließ diesen und den folgenden Tag die meisten von seinen Untertanen zu sich kommen und redete mit ihnen ebenso wie mit seinen Bedienten. Wem er Geld zu seiner Nahrung vorgestrecket hatte, dem erließ er's; und alle durften sich etwas von ihm ausbitten. Die Anzahl der Armen war sehr klein; denn er hatte seine Wohltaten und seine Vorsorge gegen die Untertanen nicht bis an sein Ende versparet. Man kann sich die Wehmut dieser Leute leicht vorstellen. Ein jeder beweinte in ihm den Verlust eines Vaters. Nach dieser Verrichtung fragte der sterbende Graf, ob noch jemand in seinem Hause wäre, der nicht Abschied von ihm genommen hätte. Ich sagte ihm, daß ich niemanden wüßte, außer die Soldaten, die mein Gemahl bei sich hätte. »Auch diese«, sagte er, »sind mir liebe Leute. Sie brauchen am meisten den Tod kennenzulernen, weil sie ihn vor andern unvermutet gewärtig sein müssen. Laßt sie hereinkommen.« Hierauf traten vier Leute herein, denen die Wildheit und Unerschrockenheit aus den Augen sah. Der alte Graf redete sie liebreich an, und er hatte kaum angefangen, so weinten diese dem Anscheine nach so beherzte und barbarische Männer wie die Kinder. Er fragte sie, wie lange sie gedienet hätten. Sie hatten fast alle zwanzig Jahre die Waffen getragen. »Oh«, fing der Graf an, »ihr verdient, daß ihr die Ruhe des Lebens schmeckt, weil ihr die Unruhe so lange ausgehalten habt. Mein Sohn mag euch den Abschied erteilen. Und ihr sollt euch in meinem Dorfe niederlassen und, solange ihr lebet, noch soviel bekommen, als eure ordentliche Löhnung austrägt.« Einer von diesen Leuten hat nachdem meinem Gemahle einen sehr wichtigen Dienst geleistet.

Die Nacht vor seinem letzten Ende brach nunmehr an.

Er fragte den Doktor noch einmal um die Zeit seines Todes und hörte mit der größten Standhaftigkeit, daß er kaum vierundzwanzig Stunden noch auf der Welt sein würde. Er forderte darauf zu essen. Er aß und ließ sich auch ein Glas Wein reichen. »Gütiger Gott!« fing er an, »es schmeckt mir bei meinem Ende noch so gut, als es mir vor funfzig Jahren geschmeckt hat. Hätte ich nicht mäßig gelebt, so würden meine Gefäße zu dieser Erquickung nicht mehr geschickt sein. Nun«, fuhr er fort, »will ich mich zu meinem Aufbruche aus der Welt noch durch einige Stunden Schlaf erholen.« Er schlief drei Stunden. Alsdann rief er mich und bat, ich sollte ihm aus seinem Schreibetische ein gewisses Manuskript holen. Dieses war ein Verzeichnis seines Lebens seit vierzig Jahren. Und dieses mußte ich ihm bis zu anbrechendem Tage vorlesen. Als wir fertig waren, so tat er das brünstigste Gebet zu Gott und dankte ihm für die Güte und Liebe, welche er ihm in der Welt hatte genießen lassen, auf eine ganz entzückende Weise und bat, daß er ihn in der künftigen Welt die Wahrheit und Tugend, der er hier unvollkommen nachgestrebt, möchte vollkommen erreichen lassen. Er ließ seinen Sohn rufen, nahm uns beide in die Arme und fing an zu weinen. »Dieses«, sagte er, »sind seit vierzig und mehr Jahren die ersten Tränen, die ich vergieße. Sie sind keine Zeichen meiner Wehmut und Furchtsamkeit, sondern meiner Liebe. Ihr habt mir mein Leben angenehm gemacht; allein das Glück, das ich nach meinem Tode hoffe, macht mir den Abschied von euch sehr erträglich. Liebt getreu, und genießt das Leben, das uns die Vorsehung zum Vergnügen und zur Ausübung der Tugend geschenkt hat.« Er gab mir noch allerhand Regeln, wie ich meine Kinder ziehen sollte, wenn unsre Ehe fruchtbar sein würde. Und in eben der Bemühung, auch seine Nachkommen durch eine weise Vorsorge noch glücklich zu machen, starb er.

Wir lebten darauf noch einige Jahre in der größten Zufriedenheit auf unserm Landgute. Endlich erhielt mein

Gemahl Befehl, am Hofe zu erscheinen, und ich folgte ihm dahin.

Ich war kaum bei Hofe angekommen, so ward ich verehrt und bewundert. Es war, wie es schien, niemand schöner, niemand geschickter und vollkommner als ich. Ich konnte vor der Menge der Aufwartungen und vor dem süßen Klange der Schmeicheleien kaum zu mir selber kommen. Zu meinem Unglücke bekam mein Gemahl Ordre zum Marsche, und ich mußte zurückbleiben. Es hieß, ich sollte ihm bald nachfolgen; allein es vergingen drei Monate, ehe ich ihn zu sehen bekam. Ich hatte meine ganze Philosophie nötig, die ich bei meinem Vetter, meinem Gemahle und seinem Vater gelernet hatte, wenn ich nicht eitel und hochmütig werden wollte. Die Ehre, die mir allenthalben erwiesen ward, war eine gefährliche Sache für eine junge und schöne Frau, die den Hof zum ersten Male sah.

Ein gewisser Prinz von S**, der bei Hofe alles galt[15], der schon eine Gemahlin und unstreitig nicht die erlaubtesten Absichten gegen mich hatte, suchte sich die Abwesenheit meines Gemahls zunutze zu machen. Er bediente mich bei aller Gelegenheit mit einer ungemeinen Ehrerbietung und mit einem Vorzuge, der recht prächtig in die Augen fiel. Er wagte es zuweilen, mir von einer Neigung zu sagen, die ich verabscheuete. Dennoch wußte ich der Ehrerbietung, die er stets mit untermengte, nicht genug zu widerstehen. Ich war so treu und tugendhaft, als man sein kann, allein vielleicht nicht strenge genug in dem äußerlichen Bezeigen. Hierdurch machte ich den Prinzen nur beherzter. Er kam an einem Nachmittage unangemeldet zu mir. Er machte mir allerhand kleine Liebkosungen, doch bei der ersten Freiheit, die er sich herausnahm, sagte ich zu ihm: »Erlauben Sie mir, daß ich es Ihrer Gemahlin darf melden lassen, daß Sie bei mir sind, damit sie mir das Glück ihrer Gegenwart auch gönnt.« »Sie ist schon in den[16] Gedanken bei mir«, fing er an. »Und mein Gemahl«, antwortete ich, »ist auch bei mir, wenn er gleich im Felde ist.« Darauf machte er mir ein frostig Kompliment und ging fort. Wie rachgierig dieser Herr war, wird die Folge ausweisen.

Mein Gemahl kam wieder zurück, und nach seiner Ankunft ward ihm der Hof verboten. Dieses war die erste Rache eines beleidigten Prinzen. Wir gingen darauf auf unser Landgut. Ich entdeckte meinem Gemahle ohne Bedenken die Ursache der erlittenen Ungnade und bat ihn tausendmal um Vergebung. »Ich bin sehr wohl«, sprach er, »mit meinem Unglücke zufrieden. Fahren Sie nur fort, mich durch Ihre Tugend zu beleidigen; ich will Ihnen zeitlebens dafür danken. Ich habe es vorausgesehen, daß Ihnen der Hof gefährlich sein würde. Ich konnte mir einbilden, daß man Sie bewundern und daß Ihr Herz der Versuchung der Lobsprüche und Ehrenbezeigung nicht gleich den ersten Augenblick widerstehen würde. Die erlittene Ungnade ist nichts als ein Beweis, daß ich eine liebenswürdige und tugendhafte Frau habe.«

Wir lebten auf unserm Landgute so ruhig und zärtlich als jemals. Und damit wir den Verlust unsers klugen Vaters desto weniger fühlten, so nahm mein Gemahl seinen ehemaligen Reisegefährten, den Herrn R**, zu sich. Er war noch ein junger Mann, der aber in einer großen Gesellschaft zu nichts taugte, als einen leeren Platz einzunehmen. Er war stumm und unbelebt, wenn er viele Leute sah. Doch in dem Umgange von drei oder vier Personen, die er kannte, war er ganz unentbehrlich. Seine Belesenheit war außerordentlich und seine Bescheidenheit ebenso groß. Er war in der Tugend und Freundschaft strenge bis zum Eigensinne. So traurig seine Miene aussah, so gelassen und zufrieden war er doch. Er schlug keine Vergnügung aus; allein es schien[17], als ob er sich nicht sowohl an den Ergötzlichkeiten selbst, als vielmehr an dem Vergnügen belustigte, das die Ergötzlichkeiten andern machten. Sein Verlangen war, alle Menschen vernünftig und alle Vernünftige glücklich zu sehen. Daher konnte er die großen Gesellschaften nicht leiden, weil er so viel Zwang, so viel unnatürliche Höflichkeiten und so viel Verhinderungen, frei und vernünftig zu handeln, darinnen antraf. Er blieb in allen seinen Handlungen uneigennützig und gegen die Glücksgüter und gegen alle Ehrenstellen fast gar zu gleichgültig. Die Schmeichler 5 waren seine ärgsten Feinde. Und er glaubte, daß diese Leute der Wahrheit und den guten Sitten[18] mehr Schaden täten als alle Ketzer und Freigeister. Einem geringen Manne diente er mit größern Freuden als einem vornehmen. Und wenn man ihn um die Ursache fragte, so 10 sagte er: »Ich fürchte, der Vornehme möchte mich bezahlen und durch eine reiche Belohnung mich zu einem Lastträger seiner Meinungen und zu einem Beförderer seiner Affekten erkaufen wollen.« Er hatte einen geschickten Bedienten, der ihm aber des Tages nicht mehr 15 als etliche Stunden aufwarten durfte. Als er seinen Herrn in unsrer Gegenwart einmal fragte, ob er nichts zu tun hätte, so sagte er: »Denkt Ihr denn, daß Ihr bloß meinetwegen und meiner Kleider und Wäsche wegen in der Welt seid? Wollt Ihr denn so unwissend sterben, als Ihr 20 geboren seid? Wenn Ihr nichts zu tun habt, so setzt Euch hin, und überlegt, was ein Mensch ist; so werden Euch Beschäftigungen genug einfallen.« Er gab ihm verschiedene Bücher zu lesen. Und wenn er ihn auskleidete, so mußte er ihm allemal sagen, wie er den Tag zugebracht 25 hätte. »Wer sich schämt«, sagte er, »einen Menschen vernünftig und tugendhaft zu machen, weil er geringe ist, der verdient nicht, ein Mensch zu sein.« Mein Gemahl liebte den Herrn R** als seinen Bruder, und wir beschlossen niemals etwas Wichtiges, ohne ihn zu Rate zu 30 ziehen.

Um diese Zeit bekam mein Gemahl Befehl zum Marsche, weil Schweden mit der Krone Polen in einen Krieg verwickelt wurde. Nunmehr ging mein Elend an. Mein Gemahl hatte einen engen und gefährlichen Paß 35 verteidigen sollen. Allein er hatte das Unglück gehabt, ihn und fast alle seine Mannschaft zu verlieren. Man glaubte, der Prinz von S**, der mit zu Felde war, hätte ihn mit Fleiß zu dieser gefährlichen Unternehmung bestimmt, um ihn zu stürzen. Genug, mein Gemahl ward zur Verantwortung gezogen. Man gab ihm schuld, er 5 hätte seine Pflicht nicht in acht genommen, und es ward ihm durch das Kriegsrecht der Kopf abgesprochen. Gott, in welch Entsetzen brachte mich folgender Brief von meinem Gemahle!

Lebt wohl, liebste Gemahlin, lebt ewig wohl! Es hat 10 der Vorsicht gefallen, meinen Tod zu verhängen. Er kömmt mir nicht unvermutet; doch würde mich die Art meines Todes erschrecken, wenn ich meinen Ruhm mehr in der Ehre der Welt als in einem guten Gewissen suchte. Gerechter Gott! Ich soll durch das Schwert sterben, weil 15 ich es nicht beherzt genug für das Vaterland geführet habe. Der Himmel weiß, daß ich unschuldig bin. Und fünf Wunden, die ich bei meiner Gegenwehr empfangen habe, mögen Zeugen sein, ob ich meiner Pflicht nachgelebt. Der Prinz von S**, den Ihr durch Eure Tugend 20 beleidiget habet, ist ohne Zweifel die Ursache meines gewaltsamen Todes. Vergebt es ihm, daß er Euch Euren Gemahl entreißt. Es ist weit weniger, als wenn er Euch Eure Tugend entrissen hätte. Lebt wohl, meine Gemahlin, und betet, daß ich bei dem Anblicke meines Todes so 25 beherzt sein mag, als ich itzt bin. Meine Wunden sind gefährlich. Wollte Gott, daß sie tödlich wären und mich der Schmach entrissen, als ein Verbrecher vor den Augen der Welt zu sterben. In fünf Tagen soll mein Urteil vollstreckt werden. Nehmet von dem redlichen R** in mei- 30 nem Namen Abschied. Er wird Euch in Eurem Unglück nicht verlassen. Ich habe den König in einem Bittschreiben ersucht, daß er Euch meine Güter lassen soll; aber ich glaube nicht, daß es geschehen wird. Seid unbekümmert, meine Getreue! Flieht, wohin Ihr wollt, nur daß 35 Ihr den Nachstellungen des Prinzen entgeht. Lebt wohl. Ach, wenn doch der fünfte Tag schon da wäre! Oh, warum muß ich denn ein Schlachtopfer meiner Feinde werden! Doch es ist eine Schickung. Ich will meinen Tod mit Standhaftigkeit erwarten. Lebt noch einmal wohl, liebste Gemahlin. Ich fühle den Augenblick eine außerordentliche Schwachheit in meinem Körper. – – –[19] Mein Feldprediger kömmt. Ich will ihn bitten, daß er Euch diesen Brief zustellen läßt. Faßt Euch. Ich liebe Euch ewig, und ich sehe Euch in der künftigen Welt gewiß wieder.

Meinen Schmerz über diese Nachricht kann ich nicht beschreiben. Die Sprachen sind nie ärmer, als wenn man die gewaltsamen Leidenschaften der Liebe und des Schmerzens ausdrücken will. Ich habe alles gesagt, wenn ich gestehe, daß ich etliche Tage ganz betäubt gewesen bin. Alle Trostgründe der Religion und der Vernunft waren bei meiner Empfindung ungültig, und sie vermehrten nur meine Wehmut, weil ich sah, daß sie solche nicht besänftigen konnten. Der angesetzte Todestag meines Gemahls brach an. Ich brachte ihn mit Tränen und Gebete zu und fühlte den Streich mehr als einmal, der meinem Gemahle das Leben nehmen sollte. Niemand stund mir in meinem Elende redlicher bei als der Herr R**. Er klagte und weinte mit mir und erwarb sich durch seine Traurigkeit den Vorteil, daß ich die Trostgründe anhörte, mit denen er mich nunmehr anfing aufzurichten.

Binnen acht Tagen kam der Reitknecht meines Gemahls und brachte mir die Post, daß sein Herr drei Tage vor dem Tage des Urteils an seinen Wunden gestorben wäre. Diese Nachricht vergnügte mich, so betrübt sie war, doch unendlich. »So ist er denn als ein Held an seinen Wunden gestorben?« rief ich aus. »So hat er die traurigen Zubereitungen zu einem gewaltsamen Tode, welche ärger als der Tod selber sind, nicht mit ansehen dürfen? Nunmehr bin ich ruhig.« Ich fragte, ob man ihn ohne Schimpf zur Erden bestattet hätte. Er sagte mir, daß dieses gar nicht hätte geschehen können, weil in der

Nacht, da er gestorben wäre, die Feinde das Dorf angefallen und das Bataillon, bei dem mein Gemahl gefangen gesessen, genötiget hätten, sich in der größten Eil und mit Verlust zurückzuziehen. In ebendieser Unord-
5 nung wäre er mit gewichen, und der Feldprediger von meines Gemahls Regimente hätte ihm Gelegenheit geschafft, mit einem Detachement zurückzugehen und mir die Nachricht und etliche Kleinodien von meinem Gemahle zu überbringen.

10 Der Feldprediger hatte selbst an mich geschrieben und mir in meines Gemahls Namen geraten, Schweden so bald zu verlassen, als es möglich wäre, damit ich nicht der Rache des Prinzen oder seiner Wollust weiter ausgesetzt sein möchte. Der Befehl wegen der Einziehung unserer
15 Güter war, wie ich erfuhr, schon vor meines Gemahls Tode unterzeichnet worden. Ich entschloß mich also zur Flucht und bat den Herrn R**, Schweden mit mir zu verlassen. Wir gaben in unserm Hause eine Reise auf die andern Güter vor und nahmen nichts als die Schatulle,
20 in welcher etwan tausend Dukaten waren (denn mein Gemahl hatte sein bares Vermögen der Krone vorgestreckt), nebst dem Geschmeide und den Kleinodien mit uns. Alles Silbergeschirr ließen wir im Stiche und kamen in Begleitung des vorhin gedachten Reitknechts und des
25 Bedienten des Herrn R** glücklich über die Grenzen. Wir erfuhren bald darauf, daß man die Güter eingezogen und daß man mir etliche Meilen hatte nachsetzen lassen. Wir waren nunmehr in Livland; allein ich war deswegen noch nicht sicher. Der Prinz wollte mich in sei-
30 ner Gewalt haben. Mein Vetter, der mich nach Schweden gebracht hatte, war tot, und ich wußte nicht, welches Land ich zu meinem Aufenthalte aussuchen sollte. Mein

7 *Detachement:* Aus frz. détachement; Abkommando, eine vom Haupttheer abgeschickte Anzahl Soldaten (nicht bei Adelung).

19 *Schatulle:* Aus mlat./ital. scatola; Schachtel, besonders für Geld- und Wertsachen. Bei Gellert in der für das deutsche 18. Jahrhundert typischen französierenden Form: Chatoulle (Adelung III, 1373).

getreuer Begleiter sollte mein Ratgeber werden. Er schlug mir Holland vor, weil er in Amsterdam Freunde hatte, und er versicherte mich, daß es mir an diesem Orte gefallen würde. »Hier können Sie sich«, sagte er, »ein paar Jahre aufhalten, bis sich die Umstände in Schweden ändern. Vielleicht glückt es Ihnen, daß Sie durch Vorbitte mit der Zeit einen Teil von Ihres Gemahls Vermögen zurückbekommen.« 5

Die Furcht, in des rachgierigen Prinzen Hände zu fallen, machte mir alle Länder angenehmer als mein Vaterland. Ich entschloß mich also, mit ihm nach Amsterdam zu gehen, und ich wünschte, daß mich die ehemalige Geliebte meines Gemahls dahin begleiten möchte. Wir waren etwan achtzehn Meilen von ihr entfernet, denn wir bildeten uns ein, daß sie noch auf meines Gemahls Gütern wäre, die er in Livland hatte. Herr R** reisete also dahin ab, um sich nach ihr zu erkundigen. Er war kaum weg, so brachte mir der Reitknecht die Nachricht, daß er Carolinen in der Kirche des Dorfes, in welchem ich mich insgeheim aufhielt, gesehen, aber nicht gesprochen hätte. Ich schickte ihn fort, und binnen wenig Stunden sah ich sie zu meinem größten Vergnügen bei mir. Sie hatte binnen den acht Jahren, da ich sie nicht gesehen, etwas von ihren äußerlichen Reizungen, doch nichts von ihrer Annehmlichkeit im Umgange verloren. Ich erzählte ihr mein Schicksal und fragte sie, ob sie mit mir nach Amsterdam gehen wollte. Sie vergoß tausend Tränen über mein Unglück und über die Liebe, die ich noch gegen sie hatte. »Sie verfahren«, sprach sie, »gar zu liebreich mit mir. Sie bezeigen mir die stärkste Gewogenheit und hätten doch vielleicht Ursache, mich zu hassen. Ich halte es für mein größtes Unglück, daß ich Ihnen nicht folgen kann; allein ich bin seit einem Jahre, denn so lange ist es her, daß ich mich von Ihres Gemahls Gütern an diesen Ort begeben habe, sehr krank gewesen, und Sie werden mir es leicht ansehen, daß es mir unmöglich ist, eine so weite Reise mit Ihnen zu tun. Indessen schwöre ich Ihnen zu, 10 15 20 25 30 35 daß mich, wofern ich wieder gesund werde, nichts in der Welt abhalten soll, Ihnen nachzufolgen. Und damit ich Sie von der Gewißheit meines Versprechens desto stärker überführe, so will ich Ihnen meinen Sohn mitgeben, wenn er Ihnen nicht zur Last wird. Er ist bei mir. Ich habe mir für das Geld, das der Herr Vater Ihres Gemahls zu meiner und meines Kindes Erhaltung ausgesetzt hat, ein kleines Landgut hier in diesem Dorfe gekauft, und ich biete es Ihnen nicht allein zu Ihrem Aufenthalte, sondern mit dem größten Vergnügen zu Ihrem Eigentume an. Wollte Gott! Sie blieben unerkannt bei mir, wie ruhig wollten wir nicht leben! Das Verlangen, Ihnen zu dienen, sollte mich wieder gesund und munter machen.«

Ich wagte es, mich auf ihren kleinen Rittersitz zu begeben. Ich traf keinen Reichtum, keinen Überfluß da an, aber Ordnung und Bequemlichkeit, die von dem guten Geschmacke der Besitzerin zeugten. Ich fand eine Menge schöner Bücher in ihrer besten Stube. Und sie war so bescheiden, daß sie sagte, sie gehörten ihrem Sohne, da ich doch leicht merken konnte, daß sie ihr selber zugehörten. Es waren fast alle die französischen und schwedischen Bücher, welche mein Gemahl hochzuhalten pflegte, und ich konnte leicht erraten, wem sie diesen guten Geschmack zu danken hatte. Unter ihrem Spiegel hing das Bildnis meines Gemahls. Sobald sie merkte, daß mir's in die Augen fiel, so überreichte sie mir's zum Geschenke und gestund mir, daß sie es selber gemalet hätte; denn sie konnte vortrefflich in Miniatür malen. Ich hielt es für eine Grausamkeit, sie um dieses Andenken zu bringen. Darum bat ich sie, das Bild noch einmal zu malen und dieses solange zu behalten.

Ihr Sohn war noch nicht völlig dreizehn Jahr alt. Er war ein sehr artiger und lebhafter Knabe. Sie hatte ihn schon in seinen zartesten Jahren einem geschickten Manne zur Aufsicht anvertraut und ihn itzt nur auf etliche Wochen zu sich kommen lassen, weil sie wegen der anhaltenden Krankheit ihr Ende vermutet. Sie gestund mir zu gleicher Zeit, daß sie von meinem verstorbenen Gemahle auch eine Tochter gehabt hätte. Sie wäre mit ihr in Holland darniedergekommen und hätte sie bei ihrem Bruder, einem Kaufmanne im Haag, teils auf sein Bitten, teils aus andern Ursachen zurückgelassen; dieses Kind aber wäre in seinem sechsten Jahre gestorben, wie ihr ihr Bruder geschrieben hätte. »Ich wollte wünschen«, fuhr sie fort, »daß Sie Ihren Aufenthalt in Holland bei meinem Bruder nehmen könnten. Doch, soviel ich weiß, ist er nicht mehr in den besten Umständen. Ich habe lange keine Nachricht von ihm und weiß nicht, ob er sich von seinem starken Bankerotte wieder erholet hat oder nicht.«

Der Herr R** kam unterdessen von seiner vergebenen Reise wieder. Es war Zeit, daß wir uns von einem Orte wegmachten, wo wir länger nicht wohl verborgen bleiben konnten. Ehe wir noch fortgingen, so starb der Bediente des Herrn R**, dessen Verlust uns nicht wenig daurete. Dieser redliche Mensch gab seinem Herrn vor seinem Tode vierhundert Stück Dukaten. »Dieses Geld«, sagte er, »habe ich in Ihrem Dienste und durch Ihre Freigebigkeit gesammlet, und ich bin froh, daß ich es Ihnen wiedergeben kann. Ihrer Güte, Ihrem Unterrichte und Ihrem Exempel habe ich's zu danken, daß ich itzt gelassen und freudig sterben kann. Wenn Sie nur wieder einen Menschen hätten, auf den Sie sich verlassen könnten.« So gewiß ist's, daß man auch den niedrigsten Menschen edelmütig machen kann, wenn man ihn nicht bloß als seinen Bedienten und Sklaven, sondern als ein Geschöpf ansieht, das unserer Aufsicht anvertraut und zu einem allgemeinen Zwecke nebst uns geboren ist.

Wir verließen nunmehr Carolinen in Begleitung ihres Sohnes. Sie versprach, sobald es möglich wäre, uns zu folgen und ihr Landgütchen zu verkaufen. Wir kamen glücklich in Amsterdam an. Der Vetter des Herrn R**,

14 f. *eine vergebene Reise:* ohne Wirkung, vergeblich, erfolglos (Adelung IV, 1040, mit Anführung dieser Stelle).

bei dem wir uns aufhalten wollten, war zwar gestorben, doch lebte seine Tochter noch. Sie kannte den Herrn R**, sobald sie ihn sah; denn er war, wie ich schon gesagt habe, mit meinem Gemahl ehedem durch Holland gereiset. Sie nahm uns sehr gütig auf, und ihr Ehemann war ebenfalls ein vernünftiger und dienstfertiger Mann. Ich entdeckte mich ihnen und bat, daß sie meinen Stand nicht allein verschwiegen halten, sondern ihn auch vergessen und mich nicht mehr als eine Gräfin, sondern als eine unglückliche Freundin betrachten möchten. Sie hatten von dem Schicksale meines Gemahls schon durch die Zeitungen gehöret. Und wenn ich auch keine Eigenschaften gehabt hätte, mich bei diesen Leuten in Gewogenheit und Ansehn zu setzen, so war doch mein Unglück schon die beste Empfehlung. Ja, ich erfuhr, daß ein großes Unglück in den Gemütern vieler Menschen fast eben die Wirkungen hervorbringt, welche sonst ein großes Glück zu verursachen pflegt. Man schätzt uns hoch, weil wir viel erlitten oder viel verloren haben, und man macht unsern Unfall zu unserm Verdienste, so wie man oft unser Glück, ob wir gleich nichts dazu beigetragen haben, als unsre Vollkommenheit ansieht. Mit einem Worte, diese Leute erwiesen mir, ehe ich sie noch kannte, mehr Hochachtung und Gefälligkeit, als ich fordern konnte. Sie gaben mir einen ganzen Teil von ihrem Hause zu meiner Wohnung ein; ich nahm aber nicht mehr als ein paar Zimmer. Und damit ich diesen guttätigen Leuten nicht zur Last werden möchte, so entdeckte ich dem Herrn R**, daß ich willens wäre, meine Juwelen zu Gelde zu machen und das Geld in die Handlung seiner Frau Muhme zu legen. Er sagte, daß er es mit seinen vierhundert Dukaten, die ihm sein Bedienter gegeben, schon also gemacht hätte. Mein dienstwilliger Wirt verhandelte meine Juwelen für zwölftausend Taler und sagte, daß er mir keine Interessen, sondern den ordentlichen Gewinst davon abgeben wollte, der bei der Rechnung in seinem Handel auf dieses Kapital fallen würde.

Ich bat ihn, daß er mir keine Rechnung ablegen, sondern mich und meine beiden Reisegefährten anstatt der Interessen erhalten sollte. Ich lebte hier so ruhig, daß ich mir keinen andern Ort wünschte; Herr R** hatte den Sohn von Carolinen bei sich. Weil er kein Amt hatte, so gab er sich selber eins und zog diesen jungen Menschen mit so vieler Sorgfalt auf, als ein Mann tun kann, der in dem Bewußtsein edler Absichten und nützlicher Taten seine Belohnung sucht. Und wie sehr würden nicht die Großen viele niedrige und unberühmte Männer beneiden, wenn sie die Belohnung kennten, welche solchen Leuten das Gedächtnis ihrer rühmlichen Absichten und guten Taten zu schenken pflegt. Er unterrichtete den jungen Menschen in den Sprachen und Künsten und brachte ihm die edelsten Meinungen von der Religion und[20] Tugend bei. Was sein Unterricht nicht tat, das richtete sein Exempel aus. Der Schüler ward seinem Lehrer ähnlich und belohnte dessen Mühe durch einen fähigen Verstand und durch ein gutes Herz. Ich brachte meine Zeit meistens mit Studieren zu, wenn anders ein Frauenzimmer ohne Eitelkeit dieses von sich sagen kann. Ich redte des Tages gemeiniglich eine Stunde mit unserm jungen Schüler und suchte ihm das Wohlanständige beizubringen, das junge Mannspersonen oft am ersten von einem Frauenzimmer lernen können. Ich suchte sein flüchtiges und feuriges Wesen der Jugend durch meine Ernsthaftigkeit zu mäßigen. Ich tat stets fremd gegen ihn und stellte verschiedene Personen vor, damit er meinen Umgang nicht zu gewohnt werden und in meiner Gesellschaft immer etwas Neues finden sollte. Mit der Tochter meiner Wirtin, welche ein Mädchen von etwan acht Jahren war, vertrieb ich mir manche Stunde. Ich lehrte sie Französisch, Zeichnen, Sticken und auch Singen. Kurz, ich führte eine sehr ruhige Lebensart. Mein Wirt und seine Frau bequemten sich nach meinem Geschmacke und lernten mir die Vergnügungen ab, mit welchen sie mich unterhalten wollten. Sie brachten mich niemals in große Gesellschaften. Sie störten mich nicht in meiner Einsamkeit, als bis ich gestört sein wollte. Ich durfte weder befehlen noch bitten, wenn ich ein Vergnügen haben wollte. Ich durfte nur wählen. Man hielt mich in unserm Hause für eine Anverwandtin der Wirtin. Und wer sonst mit mir umging, wußte es auch nicht besser. Mein verschwiegner Stand nötigte mich also, nicht den glänzenden und sehr beschwerlichen Charakter einer Standsperson in Gesellschaften zu behaupten, und dieses zu meinem großen Vorteile. Hätte man gewußt, daß ich eine Gräfin wäre, so würde man, anstatt mich zu bewundern, nur mein Gutes für einen notwendigen Anteil meines Standes angesehen haben. Oder wenn es hochgekommen wäre, so würde man mich nur verehret haben, da man mich gegenteils itzt zugleich verehrte und liebte und meinen Umgang suchte.

Vier Jahre hatte ich nunmehr in Amsterdam zugebracht und zu verschiedenen Malen an Carolinen geschrieben und sie an ihr Versprechen, zu mir zu kommen, erinnert; allein sie blieb aus.

Ihr Sohn sollte sich nunmehr eine Lebensart erwählen, welche er wollte. Er bezeigte Lust zu dem Soldatenstande, und der Herr R** war so wenig dawider, daß er seine Wahl vielmehr billigte. »Gesittete und geschickte Leute«, sagte er, »sind nirgends nötiger und nützlicher, als wo es viele Ungesittete gibt. Werden Sie ein Soldat, und zeigen Sie, daß man unerschrocken, tapfer, strenge und doch auch weise, vorsichtig und liebreich sein kann. So lange Sie die Religion und ein gutes Gewissen haben werden, so lange werden Sie den Tod zwar nicht gleichgültig ansehen, aber doch ohne Entsetzen erwarten und nie aus Zagheit vermeiden. Dieses ist die wahre Tapferkeit.« Wir kauften ihm eine Fähndrichsstelle, und er ging zu seinem Regimente ab, welches nachmals an die Grenze von Holland zu stehen kam.

Nunmehr kömmt eine von den wundersamsten Begebenheiten meines Lebens, welche mir von den Leuten, die den Stand lieben und die Menschen nicht nach ihren Neigungen und Eigenschaften, sondern stets nach der Geburt und nach dem Range untereinander vergleichen, schwerlich wird vergeben werden. Ich war noch in meinen besten Jahren, und die Annehmlichkeiten in meiner Bildung waren noch nicht verlorengegangen oder höchstens zum Teile nur so verloschen, wie die kleinen Züge in einem Gemälde, die man nicht sehr vermißt. Es fanden sich verschiedene Holländer von Ansehen und großem Vermögen, die mich zur Frau begehrten. Allein ihr Suchen war umsonst. Wer einen so liebenswürdigen und vortrefflichen Gemahl als ich gehabt, konnte in der Liebe leicht etwas eigensinnig sein. Ob nun gleich keiner von meinen Freiern seine Absicht erreichte, so weckten sie doch die Erinnerung von der Süßigkeit der Liebe bei mir wieder auf. Du willst, dachte ich, um dieser Herren loszuwerden, dich selbst zu einer Wahl entschließen. Diese Ursache zu einer Ehe ist etwas weit hergeholet. Indessen war es gewiß, daß ich sie bei mir selber vorwand[21], weil es mein Herz haben wollte. Der Herr R** kam an einem Nachmittage zu mir auf meine Stube und fragte mich, ob ich mich bald der Ehe zum Besten entschlossen hätte. »Raten Sie mir denn«, sprach ich, »daß ich wieder heiraten soll?« »Nicht ehe«, versetzte er, »als bis ich sehe, daß es Ihnen Ihr eigen Herz geraten hat. Sie kennen meine Aufrichtigkeit, und Sie wissen, daß ich nichts für ein Glück halte, was man nicht verlangt und freiwillig wählt. Unter der großen Anzahl Männer, die sich um Ihr Herz bemühen, gefällt mir keiner besser als der Herr von der H**; nicht deswegen, weil er sehr gelehrt ist, sondern weil er außer seinen Wissenschaften und seiner wichtigen Bedienung sehr viele Vorteile hat, die ihm Liebe erwerben und ihn zur Liebe geschickt machen. Ich habe gewiß recht, daß er ein liebenswürdiger Mann ist; allein diesem Urteile dürfen Sie darum nicht trauen. Ich betrachte den Mann zwar nach einerlei Begriffen mit Ihnen, allein nicht nach einerlei Empfindungen. Ich liebe ihn als einen

Wir lebten an dem volkreichsten Orte in der größten Stille. Dieses war unser Verlangen. Wir konnten uns beide mit dem edelsten Zeitvertreibe, mit Lesen und Denken unterhalten. Wir studierten, ohne daß uns deswegen jemand bewundern sollte. Wir studierten zu unserer eigenen Ruhe. Und daß ich alles mit einmal sage, wir wußten in unserer Ehe von keinem andern Wechsel als von Gefälligkeiten und Gegengefälligkeiten. Viele können es nicht vertragen, wenn sie die Liebe verehlichter Personen so zärtlich abgeschildert[22] sehen als die Liebe zwischen unverehlichten, weil man sieht, daß die meisten Ehen die Liebe eher auslöschen als vermehren. Doch solche Leute wissen nicht, was Klugheit und Behutsamkeit in der Ehe für Wunder tun können. Sie erhalten die Liebe und befördern ihren Fortgang wie das Herz durch seine Bewegung den Umlauf des Geblüts. Es ist wahr, eine beständige und sich stets gleiche Zärtlichkeit ist in der Ehe nicht möglich. Doch wenn nur auf beiden Seiten eine gegründete Liebe vorhanden ist, so kann sie bis in die spätesten Jahre feurig und lebhaft bleiben. Unsere Empfindungen können wohl etwas abnehmen, allein diese Abnahme heißt wenig. Derjenige hat allemal genug Vergnügen, solange er soviel hat, als das Maß seiner Empfindungen verlangt. Genug, wir sind nach vielen Jahren noch so verliebt ineinander gewesen, als wenn wir uns erst zu lieben angefangen hätten. Man denke ja nicht, weil wir die Wissenschaften liebten, daß wir an uns nur unsere Seelen geliebt hätten. Ich habe bei allen meinen Büchern über die metaphysische Geisterliebe nur lachen müssen. Der Körper gehört so gut als die Seele zu unserer Natur. Und wer uns beredet, daß er nichts als die Vollkommenheiten[23] des Geistes an einer Person liebt, der redet entweder wider sein Gewissen, oder er weiß gar nicht, was er redet. Die sinnliche Liebe, die bloß auf den Körper geht, ist eine Beschäftigung kleiner und unfruchtbarer Seelen. Und die geistige Liebe, die sich nur mit den Eigenschaften der Seele gattet, ist ein Hirn-

Freund, und als ein Freund kann er Ihnen angenehm und liebenswert vorkommen, aber darum noch nicht als ein Ehemann. Unser Herz ist oft so beschaffen, daß es die Liebe gegen eine ihm angenehme Person zurückhält, sobald es auf das genaueste mit ihr verbunden werden soll. Vielleicht«, fuhr er fort, »gefällt Ihnen einer von den andern Herren besser zur Liebe, ob Ihnen dieser gleich zu einem guten Freunde genug gefällt.«

Ich versicherte ihn, daß ich mich seines Rats bedienen würde, sobald ich meine eigne Neigung zu Rate gezogen hätte. »Warum«, fuhr ich fort, »heiraten Sie denn nicht?« »Oh«, sagte er, »ich würde es gewiß getan haben, wenn meine Umstände und die Liebe mir zur Ehe geraten hätten. Die Liebe und meine Philosophie sind einander gar nicht zuwider. Eine recht zufriedne Ehe bleibt nach allen Aussprüchen der Vernunft die größte Glückseligkeit des gesellschaftlichen Lebens. Zeigen Sie mir nur eine Person, die mir anständig ist und die Ihnen die Versicherung gibt, daß sie mich zu besitzen wünscht, so werde ich sie, sobald ich sie kenne, mit der größten Zufriedenheit zu meiner Gattin wählen. Wir haben alle eine Pflicht, uns das Leben so vergnügt und anmutig zu machen, als es möglich ist. Und wenn es wahrscheinlich ist, daß es durch die Liebe geschehen kann, so sind wir auch zur Liebe und Ehe verbunden.« »Allein«, versetzte ich, »Sie haben ja, solange ich Sie kenne, gegen unser Geschlecht sehr gleichgültig zu sein geschienen; wie kommt es denn, daß Sie der Liebe itzt das Wort reden?« »Ich bitte«, sprach er, »vermengen Sie die Bescheidenheit nicht mit der Gleichgültigkeit. Ich weiß, daß man dem andern mit seiner Liebe oft so beschwerlich fallen kann als mit seinem Hasse. Und aus diesem Grunde bin ich stets behutsam, aber darum nicht gleichgültig gegen das Frauenzimmer.« »Ich weiß eine Person«, hub ich an, »die

18 *anständig:* »Von dem äußeren Betragen und dessen richtigem Verhältnis mit den Vollkommenheiten und dem Stande einer Person« (Adelung I, 378).

Sie liebt, und ich glaube nicht, daß sie Ihnen mißfallen wird. Allein deswegen weiß ich auch noch nicht, ob es eben diejenige ist, mit der Sie das genaueste Band der Liebe schließen wollen.« Er ward bestürzt und fragte mich wohl zehnmal, wer sie wäre. Ich hielt ihn lange auf, und endlich versprach ich ihm, daß er sie Nachmittage zu sehen bekommen sollte. Nachmittage schickte ich ihm mein Porträt und schrieb ein Billet ungefähr dieses Inhalts an ihn:

So hat die Person in ihrer Jugend ausgesehn, die Sie liebt. Erst hat sie nur Freundschaft und Erkenntlichkeit gegen Sie empfunden. Die Zeit und Ihr Wert hat diese Regungen in Liebe verwandelt. Der liebste Freund meines Gemahls hat das erste Recht auf mein Herz. Sie sind so großmütig und tugendhaft mit mir umgegangen, daß ich Sie lieben muß. Antworten Sie mir schriftlich. Entschuldigen Sie sich nicht mit Ihrem Stande. Sie haben die Verdienste; was geht die Vernünftigen die Ungleichheit des Standes an? Um die Unvernünftigen dürfen wir uns nicht bekümmern, weil hier niemand von meinem Stande weiß.

Er kam den Augenblick zu mir. Und eben der Mann, der sowohl bei meines Gemahls Lebzeiten als nach seinem Tode nie so getan hatte, als ob er mir eine Liebkosung erweisen wollte, wußte mir itzt seine Zärtlichkeit mit einer so anständigen und einnehmenden Art zu bezeigen, daß ich ihn würde zu lieben angefangen haben, wenn ich ihn noch nicht geliebt hätte. »Nunmehr«, sagte er, »haben Sie mir das Recht gegeben, Ihnen mein Herz sehen zu lassen. Und nunmehr kann ich Ihnen ohne Fehler das gestehen, was mich die Ehrerbietung sonst hat verschweigen heißen. Ich habe an das Glück, das Sie mir itzt anbieten, wie der Himmel weiß, kaum gedacht. Und wenn ich auch daran gedacht hätte, so würde mich meine wenige Eigenliebe niemals diesen Gedanken haben fort-

setzen lassen. Es fehlt zu meiner Zufriedenheit nichts, als daß Sie mich überzeugen, daß ich Ihrer wert bin, so will ich mich für den glücklichsten Menschen schätzen.« Kurz, wir gingen zu unserer Wirtin, wir sagten ihr unsern Entschluß, und sie war nebst ihrem Manne über diese unvermutete Nachricht ausnehmend erfreut. Unsere kleinen Kapitale hatten sich binnen sechs Jahren in der Handlung fast um noch einmal soviel vermehret, und wir hätten beide sehr gemächlich davon leben können. Allein unser freundschaftlicher Wirt wollte uns nicht aus seinem Hause lassen. Er behielt unser Geld und erwies uns wie zuvor alle mögliche Gefälligkeiten. Also war Herr R** mein Gemahl oder, wenn ich nicht mehr standesmäßig reden soll, mein lieber Mann. Ich liebte ihn, wie ich aufrichtig versichern kann, ganz ausnehmend und so zärtlich als meinen ersten Gemahl. An Gemütsgaben war er ihm gleich, wo er ihn nicht noch in gewissen Stücken übertraf. Aber an dem Äußerlichen kam er ihm nicht bei. Er war wohl gewachsen; allein er hatte gar nicht das Einnehmende an sich, das gleich auf das erstemal rührt. Nein, man mußte ihn etlichemal gesehen, man mußte ihn gesprochen haben, wenn man ihm recht gewogen sein wollte. Ich will deswegen nicht behaupten, daß er sich für alle Frauenzimmer geschickt haben würde. Genug, er gefiel mir, und ich fand jeden Tag in seinem Umgange eine neue Ursache, ihn zu lieben. Er war nahe an vierzig Jahre, und er hatte seit der Zeit, daß ich ihn bei meinem Gemahle kennenlernen, sich gar nicht von Person geändert. Seine ordentliche und stille Lebensart erhielten ihn so gesund, als ob er erst zu leben anfing. Wer war glücklicher als wir! Unser Glück fiel niemanden in die Augen, und desto ruhiger konnten wir es genießen. Wir lebten, ohne zu befehlen und ohne zu gehorchen. Wir durften niemanden von unsern Handlungen Rechenschaft geben als uns selbst. Wir hatten mehr, als wir begehrten, und also genug, andern wohlzutun. Wir hatten eine Gesellschaft, die sich zu unsern Neigungen schickte.

gespinste hochmütiger Schulweisen, die sich schämen, daß ihnen der Himmel einen Körper gegeben hat, den sie doch, wenn es von den Reden zu der[24] Tat käme, um zehen Seelen nicht würden fahrenlassen.

Ich komme wieder zu meiner Geschichte. Wir lebten, wie ich gesagt habe, so vergnügt, als man nur leben kann. Wir meldeten Carlsonen, so hieß Carolinens Sohn, der Fähndrich, unsere Heirat und baten ihn, daß er uns besuchen sollte, wenn es möglich wäre; denn wir hatten ihn nun wohl in vier Jahren nicht gesehen. Er schrieb uns, daß er Leutnant worden wäre, daß es ihm sehr wohl ginge und daß er sich vor wenig Wochen mit einem Frauenzimmer, die ihm zu Gefallen das Kloster heimlich verlassen, verheiratet hätte. Von ihrem Stande könnte er uns nichts sagen, weil sie in dem sechsten Jahre in das Kloster gekommen und darinnen bloß unter dem Namen Mariane bekannt gewesen wäre. Sie möchte indessen von dem niedrigsten Herkommen sein, so wäre sie doch so liebenswürdig, daß er sich nur einen hohen Stand wünschen wollte, um seine Geliebte darein setzen zu können. Denn Carlson wußte nichts weiter von seiner Geburt, als daß sein Vater ein Aufseher auf den Gütern meines ersten Gemahls gewesen und ihm jung gestorben wäre. Er bat uns unbeschreiblich, daß wir nach dem Haag kommen sollten, von welchem Orte er itzt nur etliche Meilen weit in dem Quartiere stünde. Diese Nachricht erschreckte uns fast mehr, als sie uns erfreuete. Wir vermuteten bei dieser Ehe zwar genug Liebe, aber nicht genug Überlegung. Indessen schickten wir ihm etliche hundert Dukaten, daß er seine Umstände desto bequemer einrichten könnte. Wir versprachen auch, ihn sobald zu besuchen, als es die Jahrszeit und meine Umstände erlauben würden; denn ich war mit einer Tochter darniedergekommen. Wir reiseten den folgenden Frühling nach dem Haag ab. Wir fanden an unserm Carlson und seiner Frau ein Paar Eheleute, die einander wert waren. Mariane war ein ganz außerordentlich schönes Frauenzimmer. Sie war blond und hatte ein Paar große blaue und schmachtende Augen, die sich zu schämen schienen, daß sie die Verräter von einem sehr zärtlichen Herzen sein sollten. Und wenn auch die übrigen Teile ihres Gesichts nicht so ausnehmend wohlgestalt und recht abgemessen gewesen wären, so hätte sie doch bloß ihrer Augen wegen den Namen einer Schönheit verdient. Von ihrem Verstande will ich nicht viel sagen. Sie war in dem Kloster erzogen. Ihr unschuldiges und aufrichtiges Herz hätte auch den Mangel des Witzes tausendmal ersetzt, wenn sie gleich weniger Einsicht gehabt hätte, als sie in der Tat hatte. Es hing ihr noch etwas Schüchternes aus dem Kloster an; allein selbst diese Schüchternheit schickte sich so wohl zu ihrer Unschuld, daß man sie ungern würde vermißt haben. Ja, ich sage noch mehr, man liebte sogar an ihr die Schüchternheit, so wie oft ein Fehler unter gewissen Umständen zu einer Schönheit werden kann.

Ich suche die Worte vergebens, mit denen ich ihre Zärtlichkeit gegen ihren Mann beschreiben will. Man stelle sich einen sehr einnehmenden, feurigen und blühenden Mann (denn dieses war Carlson) und dann ein von Natur zärtliches Frauenzimmer vor, die von Jugend auf eine Nonne gewesen war und bei der die süßen Empfindungen nur desto mächtiger geworden waren, weil sie an der strengen Lebensart und an den Regeln einer hohen Keuschheit einen beständigen Widerstand gefunden hatten, so wird man die inbrünstige und schmachtende Liebe dieser jungen Frau einigermaßen denken können. Ich war so wohl mit unsers Carlsons Wahl zufrieden als mein Mann, und wir vergnügten uns an der Zufriedenheit dieses Paares so sehr, daß wir nicht wieder von ihm kommen konnten. Wir ließen Geld aus Amsterdam kommen und blieben ein ganzes Jahr und länger bei diesen zärtlichen Eheleuten. Nichts fehlte uns als Carlsons redliche Mutter. Wir hatten Briefe von ihr, daß es sich mit ihrer Gesundheit gebessert hätte und daß sie imstande wäre, bald zu uns zu kommen. Wir schickten auch den Reitknecht, der mir ehemals die Post von meines Gemahls Tode gebracht hatte, fort, daß er sie abholen und zu uns bringen sollte. Er hatte sie bereits unterwegs angetroffen, und sie war bei uns, ehe wir es vermuteten. Sie hatte sich recht vergnügt[25], und sie ward durch die Freude über ihres Sohnes Glück und mein Vergnügen alle Tage belebter und munterer. Indessen versicherte uns diese rechtschaffene Frau, daß ihr Vergnügen gar zu groß sei, als daß es lange Bestand haben könnte. Mariane ward mit einer Tochter entbunden[26]. Auch dieses diente uns zu einer neuen Freude. Doch je mehr wir Ursache hatten, mit Marianen zufrieden zu sein, desto begieriger wurden wir, etwas Gewisses von ihrer Herkunft zu erfahren. Gleichwohl war alle unsere angewandte Mühe vergebens, uns dieses Geheimnis zu entdecken. Mariane hatte ihrem Manne zuliebe das Kloster heimlich verlassen, und wir mußten bei unserer Nachforschung sehr behutsam gehen, damit wir sie nicht in Gefahr setzten, entdeckt zu werden. Im Kloster fertigte man diejenigen, die wir insgeheim nachfragen ließen, mit der Antwort ab, daß ihnen Marianens Stand und Geburt unbekannt wäre, daß sie in ihrem sechsten Jahre von einem gemeinen Manne in das Kloster gebracht worden, der ein gewisses Geld zu ihrer Erziehung dagelassen und nichts gesagt hätte, als daß sie die Tochter eines unglücklichen Holländers wäre, der sie nicht in der reformierten Religion erziehen lassen wollte. Vielleicht könnte er der Äbtissin mehr vertraut haben, diese aber wäre tot. Kurz, wir erfuhren nichts, und es konnte sein, daß man in dem Kloster selbst nichts Gewisses von Marianens Herkunft wußte. Denn wie viele Kinder werden nicht unter einem fremden Namen in die Klöster gebracht und durch unbekannte Hände erhalten!

Endlich mußten wir uns doch entschließen, wieder nach Amsterdam zurückzugehen. Unsere Umstände forderten diese Trennung. Caroline begleitete uns nach dem Haag. Sie erkundigte sich hier, ob sie nicht jemanden antreffen könnte, der ihr von ihrem Bruder, Andreas, Nachricht geben könnte. Allein sie erfuhr nichts weiter, als was wir schon wußten, nämlich, daß er nach seiner Frauen Tode unglücklich in seiner Handlung geworden und, weil er sein Vermögen eingebüßet hätte, mit einem Schiffe nach Ostindien gegangen wäre, sein Glück von neuem zu versuchen. Wir blieben noch etliche Tage in dem Haag und nahmen unsere Reisegelder in Empfang. Und eben da wir fort wollten, so ließ uns der Kaufmann, der sie uns ausgezahlt hatte, sagen, daß in Amsterdam vor etlichen Tagen ein Ostindienfahrer und auf diesem Schiffe zugleich Herr Andreas, der Kaufmann, nach dem wir ehedem gefragt hätten, zurückgekommen und heute bei ihm gewesen wäre. Diese Zeitung war zu wichtig, als daß wir unsere Reise hätten fortsetzen sollen, ohne den Herrn Andreas zu sprechen. Aber wollte der Himmel, daß wir ihn in unserm Leben nicht gesehen hätten! Er kam den andern Tag zu uns. Carolinens erste Frage war, warum er ihr denn vor seiner Abreise nach Ostindien nichts Ausführliches von dem Tode ihrer Tochter geschrieben hätte? »Ist denn Mariane tot?« rief er. »Was willst du denn mit der Mariane?« versetzte seine Schwester. »Meine Tochter hieß ja wie ich Caroline. Wo ist sie denn? Ist sie nicht tot? Ach, wenn doch dieses Gott wollte!« »Ja doch«, sprach Andreas, »ich weiß es wohl, sie hieß Caroline; aber aus Liebe zu meiner Frau und weil ich sie an Kindes Statt angenommen hatte, nennte ich sie nach meiner Frau Mariane. Ich will dir alles erzählen; aber versprich mir, daß du mir auch alles vergeben willst. Meine liebe Frau starb mir, wie ich dir vor zehen Jahren gemeldet habe. Mariane war ebenfalls tödlich krank, und ich hielt sie schon für verloren. Allein es besserte sich mit ihr. Indessen nötigte mich mein Bankerott, mein Glück anderwärts zu versuchen. Ich ging nach Ostindien. Du weißt, daß ich der katholischen Religion zugetan bin. Ich liebte deine Tochter oder vielmehr meine an Kindes Statt angenommene Mariane recht väterlich.

Um sie nun teils in meiner Religion erziehen zu lassen, teils sie wohl zu versorgen, so nahm ich, was ich noch hatte, und tat dieses liebe Kind vor meiner Abreise und ohne jemanden etwas zu sagen in ein Kloster an der Grenze der österreichischen Niederlande. Ich war eben im Begriffe, dahin zu reisen, um zu sehen, ob Mariane noch lebte, als ich hieher gerufen ward. Ich kann nicht länger warten, ich muß wissen, ob sie noch lebt. Komm mit«, sprach er zu Carolinen. »Wir wollen den Augenblick in das Kloster fahren. In drei Tagen sind wir wieder hier.« Und ohne ein Wort weiter zu sprechen, gingen sie beide fort. Mein Mann und ich hatten kaum das Herz, uns anzusehen, geschweige zu reden. Ein heimlicher Schauer lief mir durch alle Glieder. »Gott, was soll das werden!« fing endlich mein Mann an. »Mariane, das Kloster – – und nicht weit von der Grenze. Was sind dieses für entsetzliche Nachrichten! Ach der arme, der unglückliche Carlson. Möchte doch dieses Mal unsere Mutmaßung falsch sein! Wäre doch Andreas wieder da, oder wäre er vielmehr nimmermehr wieder nach Europa gekommen. Seine Gegenwart wird uns ganz gewiß das traurigste Geheimnis offenbaren, das uns ewig hätte verborgen bleiben sollen. Wird nicht Caroline, um ihre Tochter wiederzufinden, sie als Frau aus den Armen ihres eigenen Sohnes reißen müssen?« Mit diesen grausamen Vorstellungen quälten wir uns, bis Andreas mit seiner Schwester, der Caroline, wieder zurückkam. Ihr Anblick ließ uns zu unserem Unglücke die Sache auf einmal erraten. Caroline zerfloß fast in Tränen. Sie tat untröstlich, und ihr Bruder als ein harter Mann ließ zwar äußerlich keine Traurigkeit spüren; allein er saß ganz betrübt[27]. Wir konnten aus beiden lange Zeit kein Wort bringen. Sie hatten, mit einem Worte, in dem Kloster erfahren, daß eine Nonne mit[28] Namen Mariane, welche um das und das Jahr (Tag und Jahr traf beides ein) in das Kloster gebracht wäre, vor anderthalb Jahren dasselbe heimlich verlassen und, soviel man wüßte, sich mit einem Jungen von Adel verheiratet hätte. Was war zu tun? Wir mußten, anstatt nach Amsterdam zu reisen, wieder zurück nach Carlsons Quartier. Wir sahen alle viere nur mehr als zu gewiß, daß diese Nonne niemand anders als Carlsons Frau sein würde. Doch man müßte 5 das menschliche Herz nicht kennen, wenn man glaubte, daß wir zu unserm Troste keine Ausflüchte gewußt hätten. Eine Nachricht, von der uns die Gewißheit erschreckt und das Gegenteil erfreut, mag noch so wahrscheinlich sein, als sie will, so sind wir doch sinnreich ge- 10 nug, sie zweifelhaft zu machen. »Sollte ich«, sagte Caroline, »denn mein Kind, mein leiblich Kind nicht kennen? Sollte es denn keine Ähnlichkeit mit mir haben?« Gleichwohl hatte sie es verlassen, da es kaum einige Monate alt gewesen war. »Ein Junger von Adel«, fing mein 15 Mann oft unterwegs an, »ein Junger von Adel? Wenn hat sich denn Carlson dafür ausgegeben? Er ist viel zu bescheiden, als daß er sich einen Stand andichten sollte, in dem er nicht erzogen worden ist.« »Nein, nein«, sprach ich, »das wolle Gott nicht! Hätte er sich auch für einen 20 Edelmann ausgegeben, warum hätte er nicht gesagt, daß er ein Offizier wäre? Vielleicht ist in ebendem Jahre noch ein Kind in das Kloster gekommen, das ebenfalls den Namen Mariane gehabt hat.« Andreas, der der Philosophie wegen nicht nach Ostindien gereiset war, 25 meinte, es läge schon in der Natur, daß ein paar so nahe Blutsfreunde einander nicht als Mann und Frau lieben könnten. Ich glaube, daß wir uns alle Augenblicke auf dieser Reise widersprachen, ohne es zu merken. Voll Zittern und Hoffnung kamen wir also bei unserm Carlson 30 wieder an. Wir hatten uns vorgenommen, recht behutsam zu gehn und die Ursache unserer Zurückkunft weder ihm noch ihr merken zu lassen. Wir wollten sagen, daß wir aus Vergnügen über die Ankunft des Herrn Andreas wieder mit umgekehrt wären. Wenn auch, sprachen wir 35 alle, Mariane die rechte Mariane sein sollte, so würden diese zärtlichen Eheleute doch beide in Verzweiflung ge-

raten, wenn wir ihnen dieses traurige Geheimnis auf einmal entdeckten. »Nein«, fing ich an, »wir bringen Marianen auf diese Art um das Leben. Ist sie die wahre Caroline, so will ich sie bitten, daß sie mir zuliebe auf
5 einige Zeit mit nach Amsterdam reisen[29] soll. Ihr Mann wird ihr dies Vergnügen nicht abschlagen. Ist sie einmal in Amsterdam, so wird es Zeit sein, ihr das Geheimnis nicht sowohl zu entdecken, als es sie nach und nach selbst[30] entdecken zu lassen. Weiß es Mariane, so soll es Carlson
10 auch erfahren. Er muß sie in seinem Leben nicht wieder zu sehn bekommen. Dieses wird der einzige Trost sein, mit dem wir ihm in seinem mitleidenswürdigen Irrtume beistehen können. Er kennt die Religion und hört die Vernunft. Die Tochter aus dieser unglücklichen Ehe will
15 ich erziehen lassen, damit Mariane den traurigen Beweis einer so zärtlichen und nunmehr unerlaubten Liebe nicht vor Augen hat.« In dieser Beratschlagung langten wir bei Carlson an. Er trat in die Türe, indem wir ankamen, und lief uns mit Verwunderung entgegen. Wir heiterten
20 unsere Gesichter so gut auf, als es möglich war, und sagten ihm, daß Herr Andreas, Carolinens Bruder, den wir in dem Haag von seiner Wiederkunft aus Indien angetroffen hätten, die Ursache unserer Zurückkunft wäre. Wer war froher als er! Wir traten in die Stube zu seiner
25 Mariane. Kaum hatte Andreas Marianen erblickt, so fiel er ihr um den Hals und schrie mit einem entsetzlichen Tone: »Ach, daß Gott erbarme, sie ist es, sie ist es! Ich unglücklicher Mann, ich bin an allem schuld!« Dieses war die Erfüllung von dem Vorsatze, bei der Sache behutsam
30 zu gehen. Caroline lief als verzweifelnd zur Türe hinaus. Mariane wollte sich von dem Andreas losmachen; allein er ließ sie nicht aus seinen Armen. Ich hatte nicht so viel Gewalt über mich, daß ich hingehen und ihn von ihr losreißen konnte. Carlson blieb auf einer[31] Stelle
35 stehen und fragte hundertmal, was es wäre. Mein Mann wollte es ihm sagen und kehrte doch bei jedem Worte wieder ein. Mariane kam endlich auf mich zu. Ich sollte

ihr entdecken, was es wäre. Ich fing an zu reden, ohne zu wissen, was. Ich bat sie um Vergebung. Ich versicherte sie meiner ewigen Freundschaft. Ich umarmte sie. Dieses war es alles. Indessen kam ihr Mann und wollte sie aus meinen Armen nehmen, »Nein, nein«, schrie ich, »Mariane ist nicht Ihre Frau, Mariane ist Ihre Schwester.« In diesem Augenblick sank Mariane nieder, und ich erwachte darüber[32] wie aus einem unruhigen Schlafe. Ich und mein Mann waren am ersten wieder bei uns selbst. Wir brachten Marianen auf ein Bette, und sie erholte sich aus einer Ohnmacht, um in die andre zu fallen.[33] Wir brachten sie den ganzen Tag nicht wieder zu sich selbst.

Mein Mann war indessen nach Carolinen gegangen, die wir, seitdem sie aus der Stube gelaufen war, nicht wieder gesehen hatten.[34] Er[35] hatte sie in dem Gartenhause auf den Knien angetroffen. Ich will gleich auf den andern Tag kommen. Das Gewaltsame unsers Affekts hatte sich gelegt und sich anstatt dessen das Bange der Traurigkeit eingestellt. Tränen und Seufzer, welche die Bestürzung gestern zurückgehalten, hatten nun ihre Freiheit, und wir suchten unsern Trost in Klagen und im Mitleiden. Carlson kam vor das Bette seiner Mariane und mit ihm Wehmut, Furcht, Scham, Reue und gekränkte Zärtlichkeit. Es war erbärmlich anzusehen, wie sich diese beiden Leute gegeneinander bezeigten. Die Religion hieß sie die Liebe der Ehe in Schwester- und Bruderliebe verwandeln, und ihr Herz verlangte das Gegenteil. Sie hatten einander unbeschreiblich geliebt. Sie waren noch in dem Frühlinge ihrer Ehe, und sie sollten dieses Band itzt ohne Anstand zerreißen. Sie hatten einander in ihrem Leben nicht gesehen, und also kam ihnen die Vertraulichkeit nicht zu Hülfe, die sonst die Liebe unter Blutsverwandten auszulöschen pflegt. Ihre Natur selbst tat den Ausspruch zu ihrem Besten. Wie konnten sie etwas in sich fühlen, das ihre Liebe verdammte, da sie den Zug der Blutsfreundschaft nie gefühlt hatten. »Ach, mein Bruder«, rief Mariane einmal über das andere aus, »verlaßt mich, verlaßt mich! Unglückseliger Gemahl, fangt mich an zu hassen. Ich bin Eure Schwester. Doch nein! Mein Herz sagt mir nichts davon. Ich bin Euer, ich bin Euer. Uns verbindet die Ehe. Gott wird uns nicht trennen.« Ihr Gemahl war nicht besser gesinnt. Er hörte die Stimme der Leidenschaften, um den Befehl der Religion nicht zu hören. Er hütete sich genau, sie nicht seine Schwester zu nennen. Er hieß sie seine Mariane. Er war beredt und unerschöpflich in Klagen, die bis in das Herz drungen, weil sie das Herz hervorbrachte. Er fing zuweilen mitten in seinen Klagen an zu philosophieren, und, wie man leicht glauben kann, sehr eigennützig. Er erwies, daß ihre Ehe vor Gott erlaubt wäre, wenn sie auch die Welt verdammte. Und er tat doch nichts, als daß er zehnmal nacheinander sagte, daß sie öffentlich verbunden wären und daß nichts als der Tod dieses Bündnis trennen sollte. Er wünschte unzähligemal in der Sprache des Affekts, daß Andreas gestorben sein möchte, ehe er den Atem zur Entdeckung dieses Geheimnisses hätte schöpfen können. Dieser saß da, als ob er sein Todesurteil anhören sollte. Ich glaube, daß er gern mit etlichen Jahren von seinem Leben das zerstörte Vergnügen dieser Zärtlichen wieder erkauft hätte. Caroline trat endlich zu Marianen an das Bette und hieß Carlsonen weggehen. »Meine Tochter«, fing sie an, »ich habe dich wiedergefunden, um dich aus den Armen deines Bruders zu reißen. Wollte Gott, daß ich dieser betrübten Pflicht zeitlebens hätte überhoben sein können! Vielleicht ist es die Strafe, daß ich – – doch Gott hat es verhänget. Ihr seid beide keines Verbrechens schuldig. Eure Unwissenheit rechtfertiget eure Liebe, und die Gewißheit verbeut sie nunmehr. Ich bin eure Mutter und liebe euch als meine Kinder; aber ich verabscheue euch, wenn ihr das Band der Ehe dem Bande des Blutes vorzieht.« Die Anrede war sehr fromm, allein sie war zu heftig und zu früh angebracht. Sie weckte die Verzweiflung in beiden von neuem auf. Mein Mann erwählete einen gelindern Weg, die zärtlichen Gemüter zu besänftigen. Er bediente sich eines Scheingrundes, der in der Stunde des Affekts ebensoviel Kraft zu haben pflegt als die Wahrheit. Er sagte, es wäre eine Gewissenssache, die wir nicht entscheiden könnten. Wir wollen den Ausspruch verständigen Gottesgelehrten überlassen. Er glaubte, daß die Ehe vielleicht noch stattfinden könnte. Dieses war eine Arznei, welche die Wehmut der beiden Leute verminderte und zugleich ihrer Liebe Widerstand tat. Sie entschlossen sich, sich dem Ausspruche der Geistlichen zu unterwerfen; aber gewiß nicht aus Überzeugung, sondern aus Verlangen, desto ruhiger ihre Liebe fortsetzen zu können. Wir machten uns indessen ihre Bereitwilligkeit zunutze und ermunterten Marianen, uns, sobald es ihre Umstände zuließen, nach Amsterdam zu folgen; vielleicht wäre es möglich, daß man von Rom Dispensation erlangen könnte. Ihr Mann sollte sich Urlaub auf ein halb Jahr ausbitten und, wenn er ihn erhielte, uns nachkommen. Alles dieses ließen sich die beiden Leute gefallen. Es strichen einige Tage dahin, und Mariane war in den Umständen, die Reise mit anzutreten. Indem wir uns dazu anschickten, so erhielt Carlson Ordre, sich unverzüglich und bei Verlust seiner Stelle zu dem Regimente zu verfügen, weil es marschieren sollte. Diese Nachricht tat eine ungleiche Wirkung. Carlson war darüber erfreut, und Mariane ward von neuem niedergeschlagen. Kaum sahe sie seine Zufriedenheit über diese Post, so machte sie ihm die grausamsten Vorwürfe. Sie hieß ihn einen Ungetreuen, der ihrer los zu sein wünschte. Sollte man wohl glauben, daß eine Frau, die da wußte, daß ihr Mann ihr Bruder war, noch auf einen solchen Verdacht fallen könnte? Allein was ist in der Liebe und in dem Traume wohl unmöglich? Wir sahen also leider nur mehr als zu deutlich, wie heftig Mariane ihren Mann noch liebte und wie sie in ihrem Herzen nichts weniger beschlossen hatte, als ihn fahrenzulassen. Carlson versicherte sie mit den größten

Beteurungen, daß er sie noch unendlich liebte und daß er über die Nachricht zum Marsche nur deswegen vergnügt wäre, weil er ihn als eine Gelegenheit ansähe, die der Himmel bestimmt hätte, der Sache den Ausschlag zu geben. »Vielleicht«, sprach er, »verliere ich mein Leben, wenn es zu einem Feldzuge kömmt. Und wer ist alsdann glücklicher als wir? Soll ich den Tod nicht geringer schätzen als die Qual, Euch zu sehen und Euch zu lieben? Und wollt Ihr nicht lieber mit Gewalt von mir getrennet sein als die Pein ausstehen, mich freiwillig[36] zu verlassen und doch diese Freiheit niemals von Eurer Liebe zu erhalten? Seid getrost, liebe Mariane! Komme ich wieder zurück, so ist es ein Zeichen, daß der Himmel unsre Ehe billiget. Verliere ich mein Leben, so ist es ein Beweis, daß Ihr einen Mann verloren habt, der nur Euer Bruder und nicht Euer Ehemann sein sollte.« Welche glückselige Dienste leistet nicht der Irrtum in gewissen Umständen! Und wie gut ist es nicht oft, daß wir das Vergnügen haben, uns selbst zu betrügen! Genug, Carlsons Irrtum war in Ansehung des Erfolgs vortrefflich. Er beruhigte ihn und endlich auch Marianen. Sie ließen die Sache auf den Himmel ankommen; und sie versprachen sich von diesem Richter nichts[37], als was sie wünschten. Sie flehten Gott um Beistand an, nicht anders, als ob ihnen die Menschen unrecht täten. Kurz, sie waren voll Zuversicht und Vertrauen, die alle Wahrheit nicht würde zuwege gebracht haben. Carlson reisete fort, als ob er in dem Treffen seine Mariane gewinnen sollte[38], und Mariane tat so gesetzt, als ob sie ihn von sich ließe, um ihn auf ewig wiederzubekommen. Sobald er fort war, so folgte sie uns ganz getrost nebst ihrer Tochter und ihrer Mutter nach Amsterdam. Andreas, der sich in Ostindien wieder ein kleines Vermögen erworben hatte, blieb in dem Haag, um von neuem seinen Handel anzufangen, wozu ihm Caroline einen Teil von ihren Geldern gab, die sie aus Deutschland mitgebracht hatte. Wir trafen unsern gütigen Wirt in Amsterdam noch in seinen vorigen Umständen an. Wir gaben Marianen für Carlsons Frau aus, und Caroline war seine Mutter.

In wenig Monaten erhielten wir die Nachricht, daß Carlson zwar nicht gegen den Feind, sondern an einer hitzigen Feldkrankheit geblieben wäre. Caroline, ich und mein Mann bedaureten ihn sehr; aber wenn wir an seine Ehe dachten, so war uns sein Tod eine erwünschte Nachricht. Denn wer konnte die gefährliche Sache besser schlichten als der Tod? Die Aussprüche der Geistlichen würden ganz gewiß wider diese Ehe gewesen sein. Und Mariane und ihr Mann hätten entweder einander nicht verlassen oder ohne einander das unglückseligste Leben geführet. Gleichwohl war uns für Marianen noch sehr bange. Sie hatte sich zwar dem Endurteile des Himmels ergeben, aber, wie ich schon erinnert, in keiner andern Hoffnung, als daß es vorteilhaft für sie ausfallen würde. Wir sahen, daß Marianens Verzweiflung von neuem wieder aufwachen würde. Dennoch mußte sie es erfahren. Wir ließen sie auf unser Zimmer rufen, und mein Mann nahm es über sich, ihr ihres Mannes Tod zu entdecken. »Nicht wahr, Mariane«, fing er an, »Sie erraten schon, was ich Ihnen hinterbringen will? Erschrecken Sie nur, denn Sie müssen doch erschrecken. Hier ist ein Brief aus dem Lager.« »Sagen Sie mir nichts mehr«, versetzte Mariane. »Ich kann den Inhalt des Briefs schon wissen. Mein Gemahl ist tot. Ich unglückselige Frau! Doch ich bin zufrieden, daß mir ihn nicht die Welt, sondern der Himmel entzogen hat. Nun sehe ich, daß es Gott nicht hat haben wollen. Wie ist er denn gestorben? Ist er im Treffen geblieben?«

Wir erstaunten über diese unvermutete Gelassenheit, die einer Gleichgültigkeit nicht unähnlich sah. Wir hatten uns auf die besten Trostgründe vergebens gefaßt gemacht. Gleichwohl wußten wir auch nicht, ob wir Marianen trauen durften. Indessen tat sie gelassen und betraurete ihren Mann mehr durch stille Tränen als durch eine tobende Wehmut und Ungeduld. In etlichen Tagen[39] erhielten wir wieder einen Brief, und die Aufschrift war Carlsons Hand. Soll ich's aufrichtig gestehn, so erschrak ich weit mehr, daß er noch lebte, als ich zuerst über seinen Tod erschrocken war. Gott, dachte ich, was wird dieses wieder werden? Carlson wird seiner Krankheit wegen das Lager verlassen und wohl gar abgedankt haben. Die Liebe wird ihn wieder zu Marianen rufen. Mariane nur war vor Freuden ganz außer sich. Der Brief war an sie, und sie brach ihn nicht etwan gleich auf. O nein, so viel Zeit ließ ihr ihre vergnügte Unruhe nicht. Sie gab ihn uns auch nicht zu erbrechen. Sie behielt ihn in den Händen als einen unbekannten Schatz, den man nicht eröffnen will, bis man sich zehnmal vorgestellet hat, wieviel darinnen sein könnte. Da sie ihn endlich erbrach, so war der Brief schon viele Wochen älter als derjenige, der uns Carlsons Tod berichtet hatte. Kurz, es war ein Abschiedsbrief an Marianen. Ich will die Abschrift hersetzen.

Liebste Mariane,

Dieses sind seit vier Wochen die ersten Stunden, da ich mich besinnen und Euch meine Krankheit melden kann. Wie glückselig bin ich, daß ich krank gewesen und dem Tode so nahe gekommen bin, ohne beides zu wissen! Wieviel würde ich Eurentwegen binnen der Zeit ausgestanden haben, wenn ich meiner mächtig gewesen wäre! Gott sei für diese Art des Todes gedankt! Ich bin völlig ausgezehrt, völlig entkräftet. Und ich sehe die Stunden, da ich mir wieder bewußt bin, für nichts als Augenblicke an, die mir Gott gönnt, mich noch einmal in der Welt und in meiner eignen Seele umzusehen und an das Zukünftige zum letzten Male zu denken. So lebt denn wohl, Mariane, lebt ewig wohl! Beweint mich nicht als Euren Mann, sondern als Euren Bruder. Trauriger Name! Verschweigt unserer Tochter unser Schicksal, wenn sie leben bleibt. Verbergt es, wenn es möglich ist, vor Euch selbst. Mein Gewissen macht mir keinen Vorwurf, daß ich Euch geliebt habe; allein es beunruhiget mich, daß ich Euch nach der traurigen Entdeckung als meine Frau zu lieben nicht habe aufhören wollen. Gott, wieviel anders denken wir auf dem Todbette als in unserm Leben! Was sieht nicht unsere Vernunft, wieviel sieht sie nicht, wenn unsere Leidenschaften stille und entkräftet sind! Ja, ja, ich sterbe, ich sterbe getrost. Doch Gott! ich soll Euch nicht wiedersehen? Ich soll Euch verlassen, liebste Mariane? Ich soll sterben? Welche entsetzliche Empfindungen fangen itzt in mir an zu entstehen! Ach, ich kann nicht mehr schreiben! – – –

So weit war ich vor einer halben Stunde gekommen. Ich bin wieder beruhiget. Die Liebe zum Leben hat sich zum letzten Male geregt. Lebt wohl, meine Mariane! Grüßt meine Mutter und meine beiden großmütigen Freunde. Mein liebster Freund, Dormund, den Ihr sovielmal bei mir gesehen habt, ist itzt bei mir. Er will mich nicht eher verlassen, als bis ich tot bin. Könnt Ihr Euch entschließen, wieder zu lieben, so vergeßt nicht, daß Euer sterbender Mann Euch niemanden gegönnet hat als ihm. Er wird Euch meine Uhr mit Eurem Porträt überbringen. Die andern Sachen habe ich meinen armen Soldaten geschenkt. Ich fühle meinen Tod. Lebt wohl!

Sobald sie gesehen hatte, daß es ein Abschiedsbrief war und daß sie sich in der bei dem Titel gefaßten Hoffnung betrogen, so ging das Wehklagen erst recht an. Ich will ihre Trostlosigkeit und etliche schlimme Folgen, die für sie und uns daraus entstunden, nicht erzählen. Es sind Umstände, an denen wir teilnahmen, weil wir gleichsam darein geflochten waren. Sie waren in Ansehung unserer Empfindung wichtig. Allein, ich würde übel schließen, wenn ich glauben wollte, daß sie deswegen dem Leser merkwürdig vorkommen und ihn rühren würden. Ich will daher vieles übergehen.

Wir lebten wieder ruhig. Es schien, als ob uns der Himmel mit Gewalt reich machen wollte. Unsere Kapitalia brachten mehr ein, als wir verlangten, und weit mehr, als wir brauchten. Und ich dachte nicht einmal daran, meine bei der Krone stehenden Gelder zu fordern. Ich war vielmehr ruhig, wenn ich nicht an dieses Land denken durfte. Über dieses war es auch durch den Krieg ganz erschöpft und entblößt. Genug, ich lebte unbekannt und zufrieden. Ich war die Frau eines angenehmen und klugen Mannes.[40] Das Unglück, das uns zeither betroffen, hatte unsere Gemüter gleichsam aufgelöset, die Ruhe nunmehr desto stärker zu schmecken. Man dürfte fast sagen, wer lauter Glück hätte, der hätte gar keines. Es ist wohl wahr, daß das Unglück an und für sich nichts Angenehmes ist; allein es ist es[41] doch in der Folge und in dem Zusammenhange. Wenigstens gleichet es den Arzneien, die unserm Körper einen Schmerz verursachen, damit er desto gesünder wird.

Mitten in unserer Zufriedenheit, die nunmehr über ein Jahr gedauert hatte, kam Herr Dormund, Carlsons guter Freund, und überbrachte Marianen die in dem Briefe erwähnte goldne Uhr mit ihrem Porträt. Mariane hatte ihn oft bei ihrem Manne, wir ihn aber noch gar nicht gesehen. Doch was brauchte er zu seiner Empfehlung mehr als den Namen eines guten Freundes von unserm Carlson? Er war ein Holländer von Geburt und von Person sehr angenehm. Er gewann unsere Vertraulichkeit sehr bald. Er war ein Stabsoffizier, hatte nunmehr abgedankt und wollte von seinen Renten für sich leben. Er war noch jung. Er hatte nicht studiert; allein er hatte doch etlichen Büchern und dem Umgange einen gewissen Witz zu danken, der im Anfange sehr einnahm. Er konnte etliche Sprachen und auch gut Deutsch. Er ließ sich in Amsterdam nieder, und wir konnten seine Absicht leicht merken. Mariane war sein Wunsch, und Mariane verdiente in der Tat, daß man ihrentwegen Feld und Hof verließ. Sie war noch vollkommen schön. Das Unglück hatte ihr von ihren äußerlichen Reizungen nichts entzogen und zu[42] der Schönheit ihres Gemüts noch vieles hinzugesetzt. Sie war durch den Umgang nur noch liebenswürdiger geworden. Sie war erst achtzehn oder neunzehn Jahre alt und noch in ihrem völligen Frühlinge. Dormund wußte sich bald bei ihr gefällig zu machen. Vielleicht liebte sie in dem Freunde ihres verstorbenen Mannes noch ihren Mann. Genug, er gewann ihr Herz. Sie kam einmal zu mir und fing mit einer vielbedeutenden Stimme an: »Madame, es wäre doch wohl billig gewesen, daß wir Herr Dormunden die Uhr, die er von meinem Manne überbracht, zu einem Andenken gelassen hätten. Ich würde es gewiß getan haben, wenn mein Porträt nicht darin gewesen wäre; allein so schickt sich's wohl nicht.« Ich verstund diese Sprache sehr gut. »Mariane«, sagte ich, »was machen Sie sich für ein Bedenken, dem Ihr Porträt zu geben, dem Sie unstreitig Ihr Herz schon überlassen haben. Ich merke, Sie wollen Herr Dormunden gern eine Gefälligkeit erweisen, die das Ansehen einer Erkenntlichkeit haben sollte, ob sie gleich die Liebe zum Grunde hat. Ich will Ihnen bald aus der Sache helfen. Geben Sie mir die Uhr. Es wird sich schon eine Gelegenheit zeigen, die nicht studiert läßt, bei der ich sie ihm anbieten kann.« Auf die Übergabe der Uhr folgte bald die Übergabe des Herzens. Mariane ward Dormunden zuteil, und sie schienen beide einander zum Vergnügen geboren zu sein. Und wenn ja Mariane ihren Mann zuweilen beunruhigte, so geschah es doch aus einem Grunde, den ein Ehemann schwerlich übelnehmen kann. Ihr Fehler war die Eifersucht, der erbliche Fehler unsers Geschlechts. Ich besinne mich, daß Mariane einmal mit Tränen auf meine Stube kam. Sie konnte vor Wehmut nicht reden, und ich befürchtete, das größte Unglück von ihr zu hören. Allein was kam endlich heraus? Sie seufzete über die Gleichgültigkeit ihres Ehemannes und hätte lieber von seiner Untreue gesprochen. Ich fragte nach der Ursache. Da erfuhr ich folgende Kleinigkeit. Ihr Mann

20 f. *eine Gelegenheit, die nicht studiert läßt:* ungezwungen, ungesucht (Adelung IV, 469).

hätte kurz vorher Briefe geschrieben; sie wäre zu ihm an den Tisch getreten; sie hätte ihn einigemal recht zärtlich geküsset, er aber hätte ihr weder mit einem Gegenkusse noch mit einem Blicke geantwortet, sondern immer fort-
5 geschrieben, nicht anders, als wenn er sie nicht sehen wollte. »Ach Gott!« fuhr sie fort, »wer weiß, an wen der Untreue schreibt?« »Konnten Sie denn nichts in dem Briefe lesen?« fing ich an. »Nein, nichts, nichts, als daß der Anfang hieß: Mein Herr.« Wer sollte wohl glauben,
10 daß eine vernünftige Frau keine stärkere Ursache zur Eifersucht nötig hätte als so eine? Doch, warum kann ich noch fragen? Wie oft tut nicht die Liebe einen Schritt über die Grenzen der Vernunft! Und wenn dieser Schritt getan ist, so hilft es nichts, daß wir eine gute Vernunft
15 haben. Überhaupt entstehen wohl die meisten Uneinigkeiten, die in der Ehe vorkommen, aus Kleinigkeiten. Sie heißen im Anfange nichts; allein sie nehmen im Fortgange unsere Einbildung und andere Dinge zu Hülfe und werden alsdann wichtige Ursachen zur Gleichgültig-
20 keit oder zur Eifersucht.

Marianens Ehe hatte nunmehr etwan drei Vierteljahre gedauert, als ihr Mann gefährlich krank ward. Er stund zween Monate große Schmerzen aus, und man merkte sehr deutlich, daß ihn eine Gemütsunruhe ebenso stark
25 quälte als die Krankheit. Er bat seine Frau oft mit Tränen[43], daß sie ihn verlassen sollte. Er konnte auch Carolinen nicht leiden, viel weniger Marianens Kind, das sie mit Carlsonen erzeuget hatte. Ich und mein Mann sollten ohne Aufhören bei ihm bleiben und ihm Trost zuspre-
30 chen. Er wollte getröstet sein, und wir wußten doch nicht, was ihn beunruhigte, viel weniger hatten wir das Herz, ihn zu fragen. Sein Ende schien immer näher herbeizukommen, und die Ärzte selbst kündigten es ihm an. Es war um Mitternacht, da er uns beide plötzlich zu sich
35 rufen ließ. Er rang halb mit dem Tode. Alles mußte aus der Stube. Darauf fing er mit gebrochenen und erpreßten Worten an, sich und die Liebe auf das abscheulichste

zu verfluchen. Gott, wie war uns dabei zumute! Er nannte sich den größten Missetäter, den die Welt gesehen hätte. »Ich bin«, schrie er, »Carlsons Mörder. Ich hab ihm mit eigner Hand Gift beigebracht, um Marianen zu bekommen. Ich Unsinniger! Welche Gerechtigkeit, welch Urteil wartet auf mich! Ich bin verloren. Ich sehe ihn, ich sehe ihn! Bringt mich um«, rief er wieder. Mein Mann redte ihm zu, er sollte sich besinnen, er würde in einer starken Phantasie gelegen haben. »Nein, nein«, rief er, »es ist mehr als zu gewiß. Mein Gewissen hat mich lange gnug gemartert. Ich bin der Mörder meines besten Freundes. Ich Barbar! Ich Bösewicht! Carlson besserte sich nach dem Abschiedsbriefe an Marianen wieder, und weil ich mir schon Hoffnung auf seinen Tod und auf Marianen gemacht hatte, so brachte ich ihm Gift bei.« Mein Mann nahm alle seine Vernunft und Religion zu Hülfe und suchte, diesem Unglückseligen damit beizustehen. Seine Verzweiflung wollte sich nicht stillen lassen. Er verlangte, Marianen noch einmal zu sehen und ihr seine Bosheit selbst zu entdecken. Wir baten ihn um Gottes willen, daß er Marianen diese Tat nicht offenbaren sollte. Er würde seinem Gewissen dadurch nichts helfen und durch sein Bekenntnis nur noch einen Mord begehen. Mariane kam, ehe sie gerufen ward. Dormund redte sie an, allein sie hörte und sah vor Wehmut nicht. Er nahm sie bei der Hand und wollte das entsetzliche Bekenntnis wiederholen. Ich hielt ihm den Mund zu. Wir fingen an zu beten und zu singen. Doch er schrie nur desto mehr. Mariane mußte es erfahren, was er getan hatte. Er wiederholte seinen Mord umständlich. Er berufte sich auf den Regimentsfeldscherer und auf den Feldmedikum, die Carlsonen, weil er es befohlen, nach seinem Tode geöffnet und das Gift gefunden und geglaubt hatten, daß er sich selbst damit vergeben. Mariane geriet in eine ordentliche Raserei. Sie stieß die grausamsten Namen wider ihn aus. Wir mußten sie endlich mit Gewalt beiseite bringen. Er schlief zween Tage und

Nächte nacheinander, ohne sich zu ermuntern. Wir glaubten auch gewiß, daß er nicht wieder aufwachen würde; allein er erholte sich. Wir kamen zu ihm. Wir mußten ihn als einen Mörder hassen; doch die allgemeine Menschenliebe verband uns auch zum Mitleiden. Er war ruhiger als zuvor und bat uns mit tausend Tränen um Vergebung. Er versicherte uns, wenn er leben bliebe, daß er uns nicht zum Entsetzen vor den Augen herumgehen, sondern sich den entlegensten Ort zu seinem Aufenthalte und zur Reue über seine Schandtat aussuchen wollte. Er bat, daß wir ihm Marianen nicht möchten wiedersehen lassen. Diese war auch schon in unsrer Wohnung; denn Dormund hatte ein Haus allein bezogen. Wir hatten nun genug an Marianen zu trösten und konnten Dormunden in zween Tagen nicht besuchen. Doch hörten wir, daß es sich besserte. Mein Mann ging den dritten Tag zu ihm. Allein Dormund war fort und hatte folgenden Brief an ihn zurückgelassen:

Ich gehe, soweit als mich die Rache des Himmels kommen läßt. Mariane soll mich nicht wiedersehen. O Gott, wozu kann einen nicht die Liebe verleiten! Der Schatten meines ermordeten Freundes wird mich auf allen Schritten verfolgen. Doch ich will lieber alles ausstehen, als diesen Mord durch einen Selbstmord häufen. Verfluchen Sie mein Gedächtnis in Ihrem Herzen. Ich bin es wert; doch entdecken Sie meine Schande der Welt nicht. Ich bin bestraft genug, daß ich Marianen und ihre großmütigen Freunde verlassen muß. Ich will wieder in den Krieg gehen. Vielleicht verliere ich bald ein Leben, das mir eine Marter ist. Mein zurückgelassenes Vermögen soll Marianen. Wollte Ihnen doch Gott die Freundschaft vergelten, die Sie mir in meiner Krankheit erwiesen haben. Doch Sie haben sie ja einem Unmenschen erwiesen. Ich bin nicht wert, daß Sie mich bedauern. Ach, die unglückselige Mariane!

Dormund war fort, ohne daß wir wußten, wohin.[44] Unsere Mariane war in eine ordentliche Schwermut geraten. Sie weinte Tag und Nacht, und wir mußten ihr auf einmal zwo Adern schlagen lassen. Sie schlief in meiner Stube und versicherte mich, daß ihr viel besser zumute wäre und daß sie diese Nacht wohl zu schlafen hoffte. Der Morgen wies diese Prophezeiung aus. Ich warf kaum die Augen auf ihr Bette, so sah ich ganze Ströme Blut davon herunterlaufen. Was konnte ich anders vermuten, als daß ihr die Adern im Schlafe aufgegangen sein würden? Mariane lag in einem fühllosen Schlummer oder vielmehr in einer Ohnmacht. Ich schrie nach Hülfe, und wir banden ihr die Adern zu. Das Entsetzlichste war, daß die Binden nicht abgefallen, sondern mit Fleiß aufgemacht zu sein schienen. Mariane kam gegen Abend etwas wieder zu sich. Sie gestund, daß sie die Binden aus Lust zum Tode selbst aufgemacht hätte, und wünschte nichts mehr, als daß ihr Ende bald dasein möchte. Sie küßte mich und sank, ohne ein Wort weiter zu reden, in einen Schlummer, und in etlichen Stunden darauf war sie tot.

Mir ging es wie denen Leuten, die in einer Gefahr heftig verwundet werden und es doch nicht eher fühlen, bis sie aus der Gefahr sind. Sobald Mariane tot war, so ging erst meine Marter an. Ich hätte mir lieber die Schuld von ihrem Tode beigemessen, weil ich dieselbe Nacht nicht genauer auf sie Achtung gegeben hatte. Allein welche menschliche Klugheit kann alles voraussehen! Ich hatte Marianen in der Tat zur Heirat mit Dormunden geraten. Ich sah, daß dieser Mann schuld an ihrem Selbstmorde war. Ich dachte an Marianens Schicksal in der andern Welt. Und ich würde noch tausendmal mehr ausgestanden haben, wenn mir die Liebe zu Marianen verstattet hätte, sie für unglücklich zu halten. Ihre Mutter war noch weit gelaßner als ich. Ich weiß nicht, wem sie ihren Beistand zu danken hätte; vermutlich der Religion. Sie sah alles für ein Verhängnis an, dessen Ursachen sie nicht ergründen könnte. Sie tröstete sich mit der Weisheit und Güte des Schöpfers und verherrlichte ihr Unglück durch Standhaftigkeit. Es ist gewiß, daß der Beistand der Religion in Unglücksfällen eine unglaubliche Kraft hat. Man nehme nur den Unglücklichen die Hoffnung einer bessern Welt, so sehe ich nicht, womit sie sich aufrichten sollen.

Unser Unglück schien nunmehr besänftiget zu sein. Wir schmeckten die Ruhe eines stillen Lebens nach und nach[45] wieder. Wir kehrten zu unsern Büchern zurück, und die Liebe versüßte uns das Leben und benahm den traurigen Erinnerungen des Vergangenen ihre Stärke. Mein Mann schrieb um diese Zeit ein Buch: Der standhafte Weise im Unglück. Etwan ein Vierteljahr nach Marianens Tode starb unser Wirt, und seine Frau hatte auch bereits die Welt verlassen. Dieser Todesfall machte eine große Veränderung in unsern Umständen. Wir mußten unsre Kapitale übernehmen, die durch Dormunds Verlassenschaft sehr hoch angewachsen waren. In der Tat war dieses eine große Last für uns. Weder ich noch mein Mann, noch Caroline wußten recht mit dem Gelde umzugehen. Und ich glaube, wir hätten eher die Hälfte weggeschenkt, als daß wir es in unserer Verwahrung hätten behalten sollen. Andreas, Carolinens Bruder, hatte wieder eine Handlung in dem Haag angefangen. Wir schenkten ihm einige tausend Taler, und von dem übrigen Gelde boten wir ihm die Hälfte in seine Handlung an; mit der andern Hälfte dienten wir guten Freunden. Wenn die Vorsichtigkeit bei dem Gelde eine Tugend ohne Ausnahme ist, so muß ich sagen, daß wir oft nachlässig damit umgingen. Es war uns oft genug, es hinzugeben, wenn wir wußten, daß derjenige, der uns darum bat, ein rechtschaffener Mann war, der das Geld nötiger brauchte als wir. Ein Wort galt bei meinem Manne soviel als ein Wechsel. Wir haben in der Tat auf diese Art viel Geld eingebüßt; aber wir sind niemals darum betrogen worden. Unsere Schuldner hatten ein gutes Herz, aber wenig Glück. Sie wollten gern wieder bezahlen, je mehr sie unsere Dienstfertigkeit sahen. Und sie machten uns durch ihre Aufrichtigkeit freigebig, wenn wir es auch von Natur nicht gewesen wären. Man glaubt es kaum, was es für ein Vergnügen ist, wenn man wackern Leuten dienen kann. Und es gehört, wie mich deucht, weit mehr Überwindung dazu, das Vermögen zu dienen zurückzuhalten, als es zu befriedigen[46].

Endlich verließen wir aus verschiedenen Ursachen Amsterdam und wandten uns mit unserer Tochter nebst Carolinen und Carlsons Tochter nach dem Haag zu dem Herrn Andreas. Unser verstorbener Wirt hatte uns bei seinem Tode seine Tochter als die unsrige anbefohlen. Diese nahmen wir also mit uns. Ihr Vermögen blieb in Amsterdam in guten Händen. Dieses Frauenzimmer, welches nunmehr etwan fünfzehn Jahre alt war, sah eben nicht schön aus; sie hatte aber sehr gute natürliche Gaben. Sie gefiel, ohne daß sie sich einbildete, gefallen zu haben. Die Artigkeit vertrat bei ihr die Stelle der Schönheit. Und wenn man die Wahl hat, ob man ein schönes Frauenzimmer, das nicht artig ist, oder ein artiges, das nicht schön ist, lieben soll, so wird man sich leicht für das letzte entschließen. Ich kann ohne Prahlerei sagen, daß ich dieses Kind, welches Florentine hieß, meistens erzogen hatte. Und wenn ich gestehe, daß sie außerordentlich viel Geschicklichkeit besaß, so will ich nicht sagen, daß ich sie ihr beigebracht, sondern ihr nur zur Gelegenheit gedienet habe, sich solche zu erwerben. Sie hatte Carolinen und dem Umgange mit meinem Manne sehr vieles zu danken. Sie war mehr unter Mannspersonen als unter ihrem Geschlechte aufgewachsen. Dieses halte ich allemal für ein Glück bei einem Frauenzimmer. Denn wenn es wahr ist, daß die Mannspersonen in dem Umgange mit uns artig und manierlich werden, so ist es ebenfalls wahr, daß wir in ihrer Gesellschaft klug und gesetzt werden. Ich meine aber gar nicht solche Mannspersonen, die insgemein für galant ausgeschrien werden und die sich bemühen, ein junges Mädchen durch niederträchtige Schmeicheleien zu vergöttern, die ihr durch jeden Blick, durch jede Bewegung des Mundes und der Hand von nichts als einer abgeschmackten Liebe sagen. Solche Leute müssen freilich nicht die Sittenlehrer der Frauenzimmer werden, wenn man haben will, daß eine junge Schöne keine Närrin werden soll. Mir wäre es am wenigsten zu vergeben gewesen, wenn ich Florentinen nicht so wohl erzogen hätte, als es sein kann, da ich Zeit, Gelegenheit und ihre gute Fähigkeit vor mir hatte und seit ihrem siebenten Jahre fast beständig um sie gewesen war. Ihre guten Eigenschaften machten sie nachgehends zur Frau eines Mannes, der in Holland eine der höchsten Ehrenstellen bekleidete und an dem sein Stand noch das wenigste war, was ihn groß und hochachtungswert machte. Doch ich will von unserer Florentine ein andermal reden.

Wir waren kaum einige Monate in dem Haag, so lief ein Schiff aus Rußland mit Waren für unsern Andreas ein. Er bat uns, daß wir mit an Bord gehen und die Ladung ansehen möchten. Wir ließen uns diesen Vorschlag gefallen und fuhren dem ankommenden Schiffe etwan eine halbe Stunde auf der See entgegen.

Nunmehr komme ich auf einen Period aus meinem Leben, der alles übertrifft, was ich bisher gesagt habe. Ich muß mir Gewalt antun, indem ich ihn beschreibe, so sehr weigert sich mein Herz, die Vorstellung einer Begebenheit in sich zu erneuern, die ihm so viel gekostet hat. Ich weiß, daß es eine von den Haupttugenden einer guten Art zu erzählen ist, wenn man so erzählt, daß die Leser nicht die Sache zu lesen, sondern selbst zu sehen glauben, und durch eine abgenötigte Empfindung sich unvermerkt an die Stelle der Person setzen, welcher die Sache begegnet ist. Allein ich zweifle, daß ich diese Absicht erhalten werde. Wir fuhren, wie ich gesagt habe, dem ankommenden Schiffe eine halbe Stunde entgegen. Es waren zehn bis zwölf deutsche Reisende auf demselben und auch etliche Russen. Diese stiegen in unserm Angesichte ans Land und gratulierten dem Herrn Andreas zur glücklichen Ankunft seines Schiffes, weil sie hörten, daß er der Herr davon war. Andreas, der die See stets in Gedanken hatte, hörte ihnen begierig zu. Nur mir ward die Zeit zu lang. Ich trat daher mit meinem Mann auf die Seite und bat ihn, daß er wieder zurückfahren möchte. Da ich noch mit ihm rede, so kömmt einer von den Passagieren auf mich zugesprungen, umarmet mich und ruft: »Ja, ja, Sie sind es, ich habe meinen Augen nicht trauen wollen; aber Sie sind meine liebe Gemahlin.« Er drückte mich einige Minuten so fest an sich, daß ich nicht sehen konnte, wer mir diese Zärtlichkeit erwies. Das Schrecken kam darzu, und ich glaubte nicht anders, als daß ein unsinnig Verliebter mich angefallen hätte. Aber ach Himmel, wen sah ich endlich in meinen Armen! Meinen Grafen in russischer Kleidung, meinen ersten Mann, den ich zehn Jahr für tot gehalten hatte. Ich kann nicht sagen, wie mir ward. So viel weiß ich, daß ich kein Wort aufbringen konnte. Mein Graf stund und weinte. Er erblickte endlich seinen ehemaligen Freund als meinen itzigen Mann. Er umarmte ihn; doch von beiden habe ich kein Wort gehört oder vor Bestürzung nichts verstehen können. Unser Wagen hielt gleich neben uns. Nach diesem lief ich zu, ohne meine beiden Männer mitzunehmen, aber beide folgten mir nach. Ich umarmte den Grafen unzähligemal in dem Wagen; was ich ihm aber gesagt habe, das ist mir unbekannt. Wir waren nunmehr in unserer Behausung, und ich fing an, mich wieder selber zu verstehen. Mein Graf bezeigte eine unendliche Zufriedenheit, daß er mich wiedergefunden hatte, und zwar an einem Orte, wo er mich am wenigsten vermutet. Er sagte mir wohl tausendmal, daß ich noch ebenso liebenswürdig wäre, als da er mich verlassen hätte. Sein Vergnügen war um desto stärker, weil er mich für tot gehalten hatte, da ich ihm auf etliche Briefe nicht geantwortet. Er glaubte, ich hätte es erfahren, daß er noch am Leben wäre. Kurz, er hatte von mir ebensowenig gewußt als ich von seinem Leben. Herr R** hatte uns verlassen, ohne daß wir es gemerkt. Wir waren also ganz allein. Mein Graf erzählte mir sein gehabtes Schicksal, davon ich bald reden will, und verlangte nunmehr zu wissen, wie es mir gegangen wäre. Er fragte mich hundertmal, und ich konnte ihm mit nichts als Tränen und Umarmungen antworten. Liebe und Scham machten mich sprachlos. Einen Mann hatte ich wiedergefunden, den ich ausnehmend liebte, und einen sollte ich verlassen, den ich nicht weniger liebte. Man muß es fühlen, wenn man wissen will, was es heißt, von zween Affekten zugleich bestürmt zu werden, von denen einer so groß als der andere ist. Mein Gemahl mutmaßete aus meiner Wehmut etwas Widriges für sich. Er hielt noch inständiger an, daß ich ihm mein Herz entdecken und ihm sein Glück oder Unglück wissen lassen sollte. Aber umsonst. Was konnte ich ihm sagen, wenn ich nicht sagen wollte, daß ich verheiratet wäre? Ich schwieg, ich seufzte; doch dieses war genug gesagt. »Sind Sie nicht mehr meine Gemahlin?« fing er an. »Das wolle Gott nicht! Lieber meinen Tod als diese Nachricht!« In ebendem Augenblicke trat meine kleine Tochter, ein Kind von fünf Jahren, in das Zimmer und vermehrte meine Bestürzung und entdeckte zu gleicher Zeit das Geheimnis, vor welchem ich zitterte. Sie sah mich weinen; sie trat zu mir. »Was fehlt Ihnen denn, liebe Mama«, fing sie an, »daß Sie weinen? Ich komme von dem Papa, der weint auch und will gar nicht mit mir reden. Ich habe Ihnen doch nichts getan.« »Mein Gott«, sprach der Graf zu mir, »Sie sind verheiratet! Ich unglückseliger Mann! Habe ich Sie darum wiederfinden müssen, damit meinem Herzen keine Art von Marter unbekannt bliebe? Wer ist denn Ihr Gemahl? Sagen Sie mir's nur. Ich will Sie durch meine Gegenwart nicht länger quälen. Ich will Sie gleich verlassen. Sie sind mir nicht untreu geworden. Sie haben mich für tot gehalten. Ich mache Ihnen keine Vorwürfe. Niemand ist an meinem Unglücke schuld als das Verhängnis. Vielleicht ist dieses die Strafe für die Liebe mit Carolinen. Überwinden Sie sich und reden Sie mit mir«, fuhr er fort. »Ich kann es von niemanden als von Ihnen anhören, wer Ihr Mann ist.« Ich sprang von dem Stuhle auf und fiel ihm in die Arme, aber ich sagte noch kein Wort. »Nein«, fing er an, »erweisen Sie mir keine Zärtlichkeiten. Ich verdiene sie, das weiß mein Herz; aber Ihr itziger Ehegemahl kann Ihre Liebe allein fordern, und ich muß dem Schicksale und der Tugend mit meiner Liebe weichen.« Durch dieses Geständnis brachte er mich nur mehr in Bewegung. Er fragte endlich das kleine Kind, wo der Papa wäre und warum er nicht hereinkäme? »Er ist ja mit Ihnen in dem Wagen gekommen«, hub sie an. »Er ist in seiner Stube und weint.« »Also«, fing der Graf zu mir an, »ist mein liebster Freund Ihr Gemahl? Dieses macht mein Unglück noch erträglich.« Darauf bat er meine kleine Tochter, daß sie ihren Papa rufen sollte. Allein er kam nicht, sondern schickte durch ebendieses Kind dem Grafen ein französisch Billet von diesem Inhalte.

Mein lieber Graf,

Sie dauern mich unendlich. Ich habe Sie durch die unschuldigste Liebe so sehr beleidigt, als ob ich Ihr Feind gewesen wäre. Ich habe Ihnen Ihre Gemahlin entzogen. Können Sie dieses wohl von mir glauben? Der Irrtum oder vielmehr die Gewißheit, daß Sie nicht mehr am Leben wären, hat mir den erlaubten Besitz Ihrer Gemahlin gegönnt; Ihre Gegenwart aber verdammt nunmehr das sonst so tugendhafte Band. Sie sind zu großmütig und wir zu unschuldig, als daß Sie uns mit Ihrem Hasse bestrafen sollten. Unsere Unschuld verringert Ihr Unglück, allein sie hebt es nicht auf. Das einzige Mittel, mich zu bestrafen, ist, daß ich fliehe. Ich verlasse Sie, liebster Graf, und werde mich zeitlebens vor mir selber schämen. Wollte Gott, daß ich durch meine Abwesenheit und durch die Marter, die ich ausstehe, Ihren Verlust ersetzen könnte! Entfernen Sie das Kind, das Ihnen diesen Brief bringt, damit Sie das traurige Merkmal Ihres Unglücks nicht vor den Augen haben dürfen. Ist es möglich, so denken Sie bei diesem Briefe zum letzten Male an mich. Sie sollen mich nicht wiedersehen.

Der Graf verließ mich, sobald er diesen Brief gelesen hatte, und suchte meinen Mann. Doch er war fort, und niemand wußte wohin. Diese Nachricht setzte mich in eine neue Bestürzung. Mein ganzes Herz empörte sich. Ich hatte meinen ersten Mann wiedergefunden. Ich wußte, daß ich sie beide nicht besitzen konnte; allein, welcher Trieb hört die Vernunft weniger als die Liebe. Es war in meinen Augen die grausamste Wahl, wenn ich daran dachte, welchen ich wählen sollte. Ich gehörte dem letzten sowohl als dem ersten zu. Und nichts war mir entsetzlicher, als einen von beiden zu verlassen, so gewiß ich auch von dieser Notwendigkeit überzeugt war. Der Herr R** war indessen fort, und der Graf wollte nicht ruhen, bis er seinen Freund wiedersähe. Er schickte sogleich nach dem Hafen, damit er nicht etwan mit einem Schiffe abgehen sollte. Ich hatte ihm indessen erzählt, daß ich den Herrn R** freiwillig zu meinem Manne erwählt und daß ich seine großmütige Freundschaft nicht besser zu belohnen gewußt hätte als durch die Liebe. »Ich weiß genug«, fing der Graf an, »weder Sie noch mein Freund haben mich beleidiget. Es ist ein Schicksal, das wir nicht erforschen können.« In wenig Stunden kam Herr R** zurück. Er war schon im Begriffe gewesen, mit einem Schiffe fortzugehen. Er dankte dem Grafen auf das zärtlichste, daß er ihn wieder hätte zurückrufen lassen. »Ich will nichts als Abschied von Ihnen nehmen«, fing er an, »von Ihnen und Ihrer Gemahlin. Gönnen Sie mir diese Zufriedenheit noch, es wird gewiß die letzte in meinem Leben sein.« Sogleich nahm er mich bei der Hand und führte mich zu dem Grafen. »Hier«, sprach er, »übergebe ich Ihnen meine Gemahlin und verwandle meine Liebe von diesem Augenblicke an in Ehrerbietung.« Hierauf wollte er Abschied nehmen; doch der Graf ließ ihn nicht von sich. »Nein«, sagte er, »bleiben Sie bei mir. Ich fange auf Ihr Verlangen mit meiner Gemahlin die zärtlichste Ehe wieder an. Sie ist mir noch so kostbar als ehedem. Ihr Herz ist edel und beständig geblieben. Sie hat nicht gewußt, daß ich noch lebe. Nein, mein lieber Freund, bleiben Sie bei uns. Wollen Sie mich etwan darum verlassen, daß ich nicht eifersüchtig werden soll, so beleidigen Sie die Treue meiner Gemahlin und mein Vertrauen. Bitten Sie ihn doch, Madame«, fing er zu mir an, »daß er bleibt.« Ich hatte kaum so viel Gewalt über mich, daß ich zu ihm sagte: »Warum wollen Sie uns verlassen? Mein lieber Gemahl bittet Sie ja, daß Sie hierbleiben sollen. Und ich müßte Sie niemals geliebt haben, wenn mir Ihre Entfernung gleichgültig sein sollte. Bleiben Sie wenigstens in Amsterdam, wenn Sie nicht in unserm Hause bleiben wollen. Ich werde Sie lieben, ohne es Ihnen weiter zu sagen, und ob ich gleich aufhören werde, die Ihrige zu sein, so untersagt mir doch die Liebe zu meinem Gemahle nicht, Ihnen beständig Zeichen der Hochachtung und Freundschaft zu erkennen zu geben.« Er blieb auf unser Bitten auch wirklich in Amsterdam. Er speiste oft mit uns, und seine Aufführung war so edel, als man nur denken kann. Wenn auch ich weniger tugendhaft gewesen wäre, so hätte mich doch sein großmütiges Bezeigen tugendhaft erhalten müssen. Er tat gar nicht, als ob er jemals mein Mann gewesen wäre. Kein vertrauliches Wort, keine vertrauliche Miene durfte ihm entfahren. Wie er vor meiner Ehe mit mir umgegangen war, so ging er itzt mit mir um. Er unterhielt mich mit Freundschaft und Hochachtung und beförderte mein und meines Grafen Vergnügen mit Aufopferung des seinigen. Er war oft ganze Tage bei mir allein. Ich glaube, daß ich so viel Schwachheit gehabt hätte, ihn anzuhören, wenn er an die vorigen Zeiten gedacht hätte. Und wer weiß, ob ich ihm nicht wider meinen Willen durch manchen Blick ein stummes Bekenntnis von meiner Liebe getan habe, so gewissenhaft ich auch mit ihm umging und so sehr ich meinen Grafen liebte. Über die Gegenwart der Caroline erstaunte der Graf sehr. Er hätte es lieber gesehen, wenn sie unsere Wohnung verlassen hätte. Allein ich bat ihn, daß er mir ihre Gesellschaft nicht entziehen sollte. »Können Sie meiner Tugend trauen«, sagte ich zu ihm, »so müssen Sie wissen, daß ich der Ihrigen gewiß bin.« Das Schicksal der beiden Kinder, die er mit Carolinen erzeugt, war eine Sache, die ihn oft ganze Stunden niedergeschlagen machte. Er führte sich indessen gegen Carolinen sehr liebreich auf. Er scherzte oft mit uns beiden; allein sein Scherz war so behutsam, daß er weder sie kränken noch mich beleidigen konnte. Wie es uns ferner gegangen, will ich künftig erzählen. Itzt muß ich nur von meines Gemahls, des Grafen Abwesenheit noch kürzlich so viel erwähnen. Die Russen hatten von dem Dorfe Besitz genommen, darinne mein Gemahl auf den Tod gelegen und von den Schweden als tot war zurückgelassen worden. Da er nach und nach wieder gesund worden, hatte man ihn als einen gefangenen Offizier mit nach Rußland geschickt. Er hatte seinen Namen aus Furcht, daß man ihn desto eher an die Schweden ausliefern möchte, verschwiegen und sich für einen Kapitän ausgegeben. Seine erlittnen Unglücksfälle, und wie er fünf Jahre in Sibirien hat zubringen müssen, damit will ich die Fortsetzung von meiner Geschichte anfangen. Der arme Graf hat viel ausstehen müssen. Er starb. – – Doch ich will itzt nichts mehr sagen.

ZWEITER TEIL

Ich bin gegen das Elend, das der Graf in Rußland ausgestanden, zu empfindlich, als daß ich's nach seiner Länge erzählen und in eine gewisse Ordnung bringen sollte. Allein ich brauche auch diese betrübte Mühe nicht. Ich habe ein halb Jahr nach seiner Zurückkunft noch zween von denen Briefen erhalten, die er in seiner Gefangenschaft an mich geschrieben. Den einen hatte er an einen Geistlichen auf seinen Gütern in Livland adressieret, der aber nichts von meinem Aufenthalte erfahren können. Den andern brachte mir ein Jude, wie man in dem Verfolge der Erzählung sehen wird. Diese Briefe enthalten den größten Teil von dem, was ihm in Moskau und Sibirien begegnet ist. Ich will sie also unverändert hier einrücken. Es ist immer, als wenn man mehr Anteil an einer Begebenheit nähme, wenn sie der selbst erzählet, dem sie zugestoßen ist. Sie werden über dieses den edlen Charakter des Grafen und seine beständige Liebe gegen mich in ein größer Licht setzen. Wie groß ist sie nicht gewesen! Und eben zu der Zeit, da er mich so brünstig geliebt und alles für mich gefühlt hat, was nur sein Elend hat vergrößern können, habe ich in den Armen eines andern Gemahls der Freuden der Liebe und des Lebens genossen. Wieviel tausend Tränen hat mich dieser Gedanke schon gekostet, und wie oft bin ich vor meiner unschuldigen Liebe zu dem Herrn R** als vor einem Verbrechen errötet!

Der erste Brief ist aus der Stadt Moskau geschrieben.

Euer unglücklicher Gemahl lebt noch. Wollte doch Gott, daß Ihr diese Nachricht schon wüßtet oder sie wenigstens durch diesen Brief erführet! Ein plötzlicher Überfall, den die Russen drei Tage vor meiner angesetzten Hinrichtung auf das Dorf taten, in welchem ich gefangen und krank lag, hat mir das Leben errettet. Ja, liebste Gemahlin, diese Vorsehung ist eine Frucht Eurer Tränen und meiner Unschuld. Ich habe etliche Tage nach dem geschehenen Überfall kaum mehr gewußt, daß ich lebte. Nachdem ich von meiner Krankheit wieder zu mir selber kam und mich in den Händen der Russen sah, so gab ich mich zu meiner Sicherheit für einen Kapitän aus und nannte mich Löwenhoek. Unter allen denen Gefangenen, mit welchen ich bald in diese, bald in jene Festung und endlich nach der Stadt Moskau geschleppt worden bin, sind nicht mehr als zween Offiziere, die mich kennen. Sie sind beide Engelländer von Geburt und die treusten und besten Gefährten meines Elends, die ich mir nur wünschen kann. Der eine von ihnen, Steeley, hat vor wenig Tagen die Freiheit erhalten, einige von seinen Landsleuten, die hieher handeln, zu sprechen, und durch diese hat er mir einen Brief nach Livland zu bestellen die sicherste Gelegenheit ausgemacht. Wenn er doch schon in Euern Händen wäre! Wenn ich doch nur eine von den Tränen der Freude sehen sollte, die Euch die Nachricht von meinem Leben auspressen wird! Wo habt Ihr Euch denn nach meinem letzten traurigen Briefe hingewandt? Hat Euch die Rache des ungerechten Prinzen nicht verfolgt? Ist mein Freund R** mit Euch geflüchtet? Und wohin? Arme und unglückliche Gemahlin! Gönnt mir doch den Trost, daß ich alle mein gegenwärtiges Unglück und das noch künftige Eurer Tugend und Eurer Liebe gegen mich zuschreiben darf. Nichts als diese Ursache ist vermögend, mir mein Elend zu versüßen und mir die Schande und das schreckliche Andenken eines gewaltsamen Todes, den mir der Prinz zugedacht, zu erleichtern. Ertraget meine Abwesenheit gelassen, ich bitte Euch bei unserer Liebe, und hofft, wir werden uns gewiß wiedersehen. Aber, o Gott! wenn? Und ach, wo weiß ich denn, ob Ihr mein Unglück habt überleben können?

Schrecklicher Gedanke, den ich ohne Zittern nicht niederschreiben kann! Nein, mein einziger Wunsch in der Welt, Ihr lebt noch. Mein Herz sagt mir's, und es verspricht mir die Wollust, Euch noch einmal, ehe ich sterbe, zu umarmen. Um diese Glückseligkeit bitte ich die Vorsehung alle Tage und in dem Augenblicke, da ich dieses schreibe. Kann mir Gott mein Leben wohl zu einem geringern Vergnügen gelassen haben, als daß ich noch einen Teil davon, und wenn es auch nur etliche Tage wären, mit Euch zubringen soll? Stellt Euch doch die Zufriedenheit vor, die wir schmecken werden, wenn uns die Zeit einander wiedergeben wird. Wie lange werden wir vor Entzückung nicht reden! und wie lange werden wir nach tausend Umarmungen sprechen, ehe wir uns satt reden und unser Herz und unser Schicksal einander ausschütten werden! Bekümmert Euch nicht zu sehr um mich. Mir fehlt zur Erleichterung meines Elendes nichts als die Nachricht von Euch und meinem lieben Freunde R**. Erlauben es Eure Umstände, so überschickt mir einen Wechsel, ob ich vielleicht dadurch meine Zurückkunft bewerkstelligen kann. Ich bin seit meinem Arreste von allem entblößt gewesen. Ich habe alle Beschwerlichkeiten ausgestanden, die einem Gefangenen auf einem Wege von mehr als hundert Meilen begegnen können. Eben der kümmerliche Proviant, der noch etliche Hundert gemeine Mitgefangene gesättiget hat, ist die ganze Zeit über gut genug für mich gewesen. Die Erbitterung der Russen gegen die schwedische Nation hat uns das Elend gefangen zu sein am beschwerlichsten gemacht. Sie nennen ihre Sorglosigkeit gegen uns, ihre Unempfindlichkeit gegen unsere Klagen eine gerechte Vergeltung für das barbarische Bezeigen, womit unser König, wie sie sagen, den gefangenen Russen begegnen ließ. Das Schrecklichste, was wir, nachdem wir über die polnischen Grenzen waren, erfahren haben, ist der Mangel an frischem Wasser gewesen, weil wir oft, um die Moräste zu umgehen, einen Umweg durch sandige Gegenden nehmen mußten.

Mein ganzes Vermögen seit meiner Gefangenschaft hat in zwanzig Talern bestanden, mit denen mich ein gemeiner schwedischer Soldat unlängst beschenkt hat. Er starb einen Monat zuvor, ehe wir in der Stadt Moskau ankamen, an einer Wunde, und zwar in einer Nacht, die wir unter freiem Himmel zubringen mußten. Er hatte mir auf dem Marsche viele Dienste erwiesen, und ich belohnte seine Treue dadurch, daß ich die ganze Nacht bei ihm blieb und auf sein Verlangen mit ihm betete. Er hatte in seinem Brusttuche ein Goldstück von zwanzig Talern eingenäht, womit ihn seine Braut in Stockholm bei seinem Abschiede beschenkt. Dieses gab er mir und bat mich, wenn ich wieder nach Stockholm kommen sollte, seiner Braut seinen Tod zu melden und ihr einige Wohltaten zu erzeigen. Ich schicke Euch den Zettel, in welchem das Geld eingewickelt war und in welchem der Braut ihr Name steht. Wenn es möglich ist, so laßt ihr den Tod ihres Bräutigams melden, und schickt ihr für die zwanzig Taler, die mir und meinem lieben Steeley so viele Dienste getan haben, hundert. Als mein Landsmann, der mich bis auf den letzten Augenblick bei der Hand hielt, tot war, so schlief ich neben ihm ein. Damals träumte mir, Ihr kämet mir an einem Flusse entgegen. Wie erschrakt Ihr, meine Liebenswürdige, wie schön entsetztet Ihr Euch, mich wiederzufinden! Ich erwachte über diesem Traume und lag auf dem toten Landsmanne und dankte dem Himmel, ehe ich noch aufstund, für diesen glücklichen Traum. Die Freundschaft, die ich dem Sterbenden erwies, brachte mir die Liebe von sechs andern gemeinen Schweden zuwege, die bei seinem Tode zugegen waren. Es gefiel ihnen, daß ich ihren Kameraden so wohl zum Tode bereitet hatte. Sie baten mich, daß ich ebendas an ihnen tun möchte, wenn sie etwan auf dem Marsche sterben sollten; sie beeiferten sich recht von diesem Tage an, mir zu dienen, und darbten sich oft das frische Wasser ab, damit sie es mir und Steeleyn im Notfalle anbieten könnten. Ich ward kurz darauf krank und konnte nicht mehr gehen, so hinfällig war ich. Allein, ehe mich meine sechs Landsleute zurückließen, so trugen sie mich lieber etliche Tage lang in Stöcken, an Stricken gebunden und mit Binsen durchflochten, fort und nahmen alle die Mühe aus gutem Herzen über sich, zu der sie außerdem weder Furcht noch Belohnung würde fähig gemacht haben. Ich habe in dieser Krankheit insonderheit den großen Unterschied gesehen, der unter den Diensten ist, die man uns aus Gehorsam und Hoffnung erzeigt, und unter denen, die man dem andern aus einem geheimen Triebe der Freundschaft und des Mitleidens erweiset. Ihre Begierde zu dienen wuchs mit meiner Gefahr, und Leute, die niemals sinnreich in Anschlägen, noch geübt in Gefälligkeiten gewesen waren, wurden sorgfältig und sinnreich an Mitteln, mir das Leben zu erhalten, weil sie es gern erhalten wissen wollten. Dieses ist die einzige Krankheit gewesen, die mir auf dem Wege nach Rußland zugestoßen. Vor sechs Wochen sind wir hier in der Stadt Moskau angekommen und die ersten gefangnen Schweden in diesem Kriege gewesen, an denen die wilden Einwohner dieses Orts ihre rachsüchtigen Augen befriedigt haben. Wir mochten unser wohl drei- bis vierhundert sein, die man in einem sehr traurigen Aufzuge dem Pöbel einen halben Tag lang öffentlich darstellte. Er würde uns mit Freuden umgebracht haben, wenn wir nicht von einer starken Wache umgeben gewesen wären. Indem wir eine Zeitlang auf einem freien Platze gestanden und tausend Schimpfreden, die wir aus den Gebärden unsrer Feinde erraten konnten, angehört hatten, drängte sich eine alte Frau zu einem Russen, der mit uns angekommen war. Sie fragte, wo sein Kamerad, ihr Sohn, wäre. Der Russe, der vielleicht nicht wußte, nach wem sie fragte, antwortete ihr, daß ihn die Schweden totgeschlagen hätten. In dem Augenblicke fuhr sie auf mich und schrie: »Was? hast du meinen Sohn umgebracht?« und riß mich, der ich vor Mattigkeit mich kaum selbst mehr aufrecht halten konnte, zur Erde, bis die Soldaten mich von ihrer Wut befreiten. Bedenkt nur, meine liebe Gemahlin, wie mir damals zumute gewesen sein muß. In eben der Stadt, in welcher mein Vater in seiner Jugend die Ehre eines königlichen Abgesandten genossen, war ich ein nichtswürdiger Schwede, und vielleicht auf eben dem Platze, wo er seinen Einzug gehalten, war sein Sohn itzt der Raserei eines Weibes ausgesetzt.

Wodurch habe ich doch das traurige Schicksal verdient, fern von Euch in einer öden Mauer eingeschlossen zu sein, in einem Behältnisse, in dem ich außer der Gesellschaft meines Steeley alles entbehre, was das Leben angenehm macht, und von keiner Freude weiß, als von der, mich Eurer mit ihm zu erinnern und mit ihm über unser Schicksal zu seufzen? Er hat, wie ich Euch schon gesagt, durch ein Geschenke, das er dem Aufseher über die Gefangnen von dem Reste unsrer zwanzig Taler gemacht, endlich die Freiheit erhalten, mit einigen Kaufleuten aus London zu sprechen. Diese haben ihm hundert Taler vorgeschossen und alles für ihn zu tun versprochen. Durch dieses Geld hoffen wir, uns von unserm Gebieter zuweilen den Schatten einer Freiheit zu erkaufen, denn durch Geld lassen sie sich, wenn sie anders mitleidig sein könnten, am ersten mitleidig machen. Er brachte mir bei seiner Zurückkunft eine Flasche Wein und etwas Zwieback mit. »Ihr denkt etwan«, sprach er, da er die Flasche aus der Tasche zog, »daß ich bei meinen Landsleuten schon Wein getrunken habe. Nein, mein lieber Graf, ich würde mir nicht die Freude entzogen haben, das erste Glas in Eurer Gesellschaft zu trinken. Ich habe noch keinen Tropfen gekostet. Aber nun kommt, nun kann ich nicht länger warten. Kommt, wir wollen unser Unglück einige Augenblicke vergessen und die Freuden des Weins fühlen und uns alles das als gewiß vorstellen, was wir wünschen.« Wir tranken ein Glas. Welche Wollust war das für uns! Wir ehrten durch unsere Entzückung den Gott, der dem Weine die Kraft geschenkt, unsere Herzen zu begeistern, und dankten ihm durch ein stilles Nachdenken für ein Vergnügen, das wir seit ganzen Jahren nicht genossen hatten. Wir brachten einen ganzen Nachmittag über unserer Flasche Wein zu. Wir wollten nicht an unser ausgestandnes Schicksal denken; aber es war uns unmöglich. Es war, als ob uns eine große Zufriedenheit fehlte, daß wir nicht mit einem Blicke die Reihe unsrer betrübten Begebenheiten übersehen sollten. Wir wiederholten sie einander, als ob wir sie einander noch nicht gesagt hätten. Wir richteten uns bei unsern Klagen mit der Wahrheit auf, daß ein gütiger und weiser Gott dieses Schicksal über uns verhängt hätte, daß wir uns unser Elend nicht leichter machen könnten, als wenn wir uns seinen Schickungen geduldig überließen, bis es ihm gefiele, uns das Unglück oder das Leben zu nehmen. Wir gaben einander die Hände darauf, alles, was uns begegnen würde, mit einer uns anständigen Gelassenheit zu ertragen. »Aber«, fing Steeley an, indem er meine Hand betrachtete, »dürfen wir denn nicht wünschen, diese Hände denen noch einmal zu reichen, die wir in unserm Vaterlande lieben? Und wenn Gott dieses nicht wollte, werden wir auch da gelassen bleiben?« »Wenn Gott dieses nicht wollte –«, sprach ich und konnte nichts mehr sprechen. Es ward finster in meinem Verstande. Ich sah keine Gründe zur Gelassenheit mehr, aber Ursachen genug, mich zu beklagen und Euern Verlust zu beseufzen. Wir schwiegen eine Zeitlang still, als ob wir uns schämten, den Entschluß zu widerrufen, den wir nach langen Betrachtungen gefaßt hatten. »Wie Gott will«, fing endlich mein Freund mit einem Tone an, der doch die größte Unruhe verriet, »wie Gott will! Ich will durch meine Gelassenheit gar nicht einen Anspruch machen, daß er seine Schickungen nach meinem Wunsche einrichten soll. Nein, er soll sie ordnen. Aber ist denn das Verlangen, unser Vaterland wiederzusehen und aus dieser Barbarei erlöset zu sein, ein ungerechter Wunsch? Sollen wir denn in diesem kläglichen Zustande unser ganzes Leben zubringen und nur den Tod hoffen?« So

sah es mit unserer Gelassenheit aus, und so ist es uns oft gegangen. Wenn wir uns bemüht haben, recht ruhig zu sein, sind wir am unzufriedensten geworden. Man sieht, wenn man den Betrachtungen über die Vorsehung nach-
5 hängt, die Unmöglichkeit, sich selbst zu helfen, deutlicher, als wenn man sich seinen Empfindungen überläßt; man sieht die Notwendigkeit, sich ihren Führungen zu überlassen, und man will doch zugleich nicht von dem Plane seiner eignen Wünsche abgehn. Man will ihn ge-
10 wiß, man will ihn bald ausgeführt wissen, und man sieht doch, daß die Umstände dazu nicht in unserer Gewalt stehn. Für diese traurige Entdeckung will sich unser Herz gleichsam durch die Unzufriedenheit rächen, und es umnebelt den Verstand, damit es von seinem Lichte nicht
15 noch mehr zu befürchten habe.

Zur Arbeit hat man uns, wie die gemeinen Gefangenen, noch nicht gezwungen, und gleichwohl verstattet man uns nicht die geringste Freiheit auszugehen. Mein erstes Geschäfte in meinem itzigen Gefängnisse ist dieser
20 Brief, und daß wir keine Geschäfte haben, über denen wir uns zuweilen vergessen könnten, dieses macht unser Elend vollkommen. Wenn auch die Erlaubnis, die sich Steeley erkauft hat, seine Landsleute einige Stunden zu sehn, uns nichts zuwege gebracht hätte als etliche Bogen
25 Papier und Dinte und Feder, so würde sie uns doch schon kostbar genug sein; denn dieses haben wir für alles Geld nicht erhalten können. Sidne, Steeleys Landsmann und Vetter, ist zu unserm Unglücke in ein ander Teil der Stadt gelegt worden; und so elend wir beide daran sind,
30 so muß es ihm doch noch weit kümmerlicher gehn, da er von allem Gelde entblößt ist. Steeley grüßt Euch tausendmal und ist so sehr Euer Freund als der meinige. Wenn ich ihn nicht hätte, so würde mir die Gefangenschaft eine Hölle sein. Er hat bei einem redlichen und
35 zärtlichen Herzen gewisse Fehler, für die ich ihm recht verbunden bin, weil sie oft unsere traurige Stille unterbrechen und uns etwas zu tun geben. Er liebt die Ver-

dienste seiner Nation auf Unkosten der übrigen Völker. Diese Parteilichkeit, ein natürlicher Ungestüm und der Fehler des Widersprechens machen mir ihn notwendig und zugleich schätzbarer. Seine Widersprüche kommen aus einer Fülle des Geistes und der Lebhaftigkeit, aus einer Liebe zur Freiheit im Denken, aus einem Hasse gegen alles niederträchtige Nachgeben und aus einem Überflusse der Aufrichtigkeit und leicht aufwallender Empfindungen her. In seinem Charakter und in seinem Munde verliert also das Widersprechen das meiste von seiner beleidigenden Natur und wird eine Quelle zu vertrauten Gesprächen und kleinen Zänkereien, deren Mangel uns die lange Zeit und die Gefangenschaft noch weit verdrießlicher machen würde. Kurz, wir sind füreinander gemacht. Seine Fehler sind von den meinigen das Gegengewicht und machen seine guten Eigenschaften nur desto sichtbarer. Er ist sehr vorteilhaft gebildet, und seine Miene ist so lebhaft als sein Herz. Er ist noch jung. Das Unglück in der Liebe ist Ursache, daß er sein Vaterland verlassen und wider seine Neigung bloß aus Unzufriedenheit in Schweden Kriegsdienste angenommen hat. Ich will Euch sein Unglück kurz erzählen und ihm Euer Mitleiden dadurch verdienen. Als er nebst seinem Vetter Sidne die Universität zu Oxford verlassen, begibt er sich auf seines Vaters Landgut etliche Meilen von London, um desto ruhiger studieren zu können. Hier wird er mit einem liebenswürdigen Frauenzimmer, der Tochter eines benachbarten Landedelmannes, bekannt und fängt an, das erstemal zu lieben. Nach zwei Jahren, nach tausend besiegten Hindernissen und nach tausend Beweisen ihrer Treue erhält er endlich von ihren Eltern das Ja und von seinem Vater die Einwilligung. Der Tag zur Vermählung mit seiner geliebten Antonia wird angesetzt. Sie soll morgen auf seines Vaters Landgute vor sich gehen, und heute reist er mit ihm zu ihr, um sie nebst den Ihrigen abzuholen. Sie kommen um die Mittagsmahlzeit an, und nach derselben soll die Rückreise erfolgen. Er sitzt mit seiner

Antonia in der zärtlichsten Vertraulichkeit unter einer Laube, als man ihnen meldet, daß die Wagen angespannt würden. »Verlaßt mich einen Augenblick«, fängt sie zitternd zu ihm an, »und wenn alles fertig ist, so holet mich ab.« Er kömmt wieder und fordert sie zur Abreise auf. »Nun bin ich«, spricht sie, indem sie ihm die Hand reicht, »bereit, Euch zu folgen. Es war mir so bange, und ich weiß nicht warum. Bin ich denn nicht glücklich genug, da ich in Euern Armen der Zufriedenheit der Ehe entgegeneile? Kommt, ich bin die Eurige.« Er setzt sich darauf mit ihr in die Kutsche, und die übrigen folgen in zween andern Wagen nach. Die Liebe, die unschuldigste und seligste Liebe, ihr Ursprung, ihr Fortgang, alles, was sie füreinander gefühlt haben, ist in dem Wagen ihr Gespräch. Indem sie noch so reden und etwan noch eine Stunde bis auf seines Vaters Landgut haben, zieht sich ein Gewitter auf. Im kurzen wird der ganze Himmel schwarz, und ein Schlag folgt auf den andern. Der Donner erschlägt eins von ihren Pferden. Antonia springt darauf in der größten Angst aus dem Wagen und reicht Steeleyn die Hand, ihr nachzufolgen und mit ihr in das nächste Dorf zu eilen. Indem sie ihn bei der Hand nimmt, tut es einen entsetzlichen Schlag, und er sinkt in den Wagen zurück. Als er wieder zu sich selbst[47] kömmt, sieht er seine Braut noch an der Türe des Wagens, vom Blitze getötet, lehnen, so wie sie ihm die Hand reichte. Kann wohl ein größer Unglück sein? Der arme Freund! Ein halb Jahr darauf nötiget ihn sein Vater, eine Reise vorzunehmen, um seine Schwermut zu zerstreuen. Er tut ihn in das Gefolge des englischen Gesandten, der nach Stockholm geht, und gibt ihm seinen Vetter zum Gefährten mit. Und eben in dieser Stadt entschließt er sich aus Schwermut und aus Verdruß gegen sein Leben, ohne Wissen des Gesandten, Kriegsdienste anzunehmen, und muntert seinen Vetter zu ebendiesem Entschlusse auf. Er hat nunmehr an diesen Gesandten geschrieben und ihm sein Unglück und seine Gefangenschaft geklagt und zugleich für mich unter dem Namen des Kapitäns Löwenhoek gebeten. Vielleicht vermag dieser Mann etwas zu unserer Befreiung. Adressiert Eure Briefe nach der beigelegten Aufschrift an den Sekretär dieses Gesandten; er ist Steeleys guter Freund. Ich würde noch nicht zu schreiben aufhören, wenn wir mehr Papier hätten. Wird Euch denn dieser Brief auch antreffen? Ja, ich hoffe es und tröste mich schon mit einer Antwort von Euch – –

Mein Gemahl hat, wie er mir erzählt, in allen dreimal an mich geschrieben. Zweimal aus Moskau und einmal aus Sibirien. Der andere Brief aus Moskau ist ganz verlorengegangen. Er ist ohngefähr ein Jahr nach dem vorhergehenden und zu einer Zeit geschrieben gewesen, in der es ihm in seiner Gefangenschaft am erträglichsten gegangen. Steeley hatte nämlich durch seine Landsleute und durch ihr Geld den Aufseher der Gefangenen immer mehr gewonnen. Er hatte es so weit gebracht, daß sein Vetter Sidne ihm und meinem Gemahle beigesellet worden war. Durch den Beitritt dieses Unglückseligen, von dem in dem folgenden Briefe eine traurige Nachricht enthalten ist, war ihr Ungemach einige Zeit sehr gemildert worden. Mein Gemahl hat mir von diesem Sidne nicht Gutes genug erzählen können. Er war von Natur liebreich und furchtsam gewesen und bloß Steeleyen zuliebe ein Soldat geworden. Er hatte nach seiner natürlichen Beschaffenheit die Beschwerlichkeiten der Gefangenschaft empfindlicher gefühlt als sie beide; und so traurig er selbst gewesen war, so war er doch, wenn Steeley und mein Gemahl ihren Mut verloren hatten, aus Liebe für sie gelassen und ihr Beruhiger geworden. Der Brief, den mein Gemahl aus der Stadt Tobolskoy in Sibirien an mich geschrieben, ist folgender.

31 *Tobolskoy:* Westsibirische Stadt an der Mündung des Tobol in den Irtysch, heute: Tobolsk.

Liebste Gemahlin,

Ich hoffe, daß Ihr noch lebt, weil es mein Herz wünscht, und ich hoffe sogar, daß dieser Brief, den ich in dem entferntesten und schrecklichsten Teile der Welt schreibe, gewiß in Eure Hände kommen soll. Ein polnischer Jude, der nach Tobolskoy handelt und im Begriffe steht, wieder nach Polen abzureisen, ist mein Freund und großer Wohltäter geworden, und vielleicht wird er gar mein Befreier aus der Gefangenschaft. Ich habe ihm vor einem Jahre in einem nah an der Stadt gelegnen Gehölze, wo ich nach dem Willen meines Schicksals noch wie andre Unglückliche auf Zobel ausgehen mußte, das Leben erhalten und ihn aus dem Schnee, in den er mit dem Pferde gefallen und fast[48] schon erfroren war, mit der größten Gefahr errettet. Dieser Mann ist auf die edelste Art dankbar gewesen und hat mir bewiesen, daß es auch unter dem Volke gute Herzen gibt, das sie am wenigsten zu haben scheint. Er hat nicht eher geruht, bis er mich vor den Gouverneur gebracht, bei dem er seines Reichtums wegen in Ansehen steht. »Herr«, sprach er, »dieser schwedische Offizier hat mir, wie Ihr wißt, das Leben erhalten, und ich habe Dankbarkeit und Geld genug, ihn zu ranzionieren.« Der Gouverneur antwortete, daß dieses nicht bei ihm stünde und daß er ohne Befehl von dem Hofe keinen Menschen freigeben könnte. Darauf gab ihm der Jude einen Beutel mit Golde und bat, daß er mir die beschwerlichen Dienste eines ins Elend Verwiesenen erlassen möchte. Der Gouverneur versprach ihm dieses, doch unter der Bedingung, daß er täglich etliche Kopicken für mich erlegen sollte. Mein Wohltäter bezahlte das Geld mit Freuden auf ein ganzes Jahr zum voraus und bat sich zugleich aus, daß er mich in dem Gefangenhofe einen Tag um den andern besuchen dürfte.

23 *ranzionieren:* Aus frz. rançonner; »durch ein Äquivalent an Gelde von einem Übel und im engsten und gewöhnlichsten Verstande von der Sklaverei und Kriegsgefangenschaft loskaufen« (Adelung III, 935).

Doch ehe ich Euch meine itzigen Umstände weiter beschreibe, so muß ich Euch erst sagen, wie mir's seit drei Jahren in Sibirien gegangen ist und wie ich in dieses Land gekommen bin.

Wenn Ihr meinen letzten Brief aus Moskau erhalten habt, so werdet Ihr wissen, daß Sidne, Steeleys Anverwandter, nunmehr mit uns an einem Orte verwahret wurde. Das Geld, das Steeley von seinen Landsleuten aufs neue bekommen, langte einige Monate zu, unsere äußerlichen Umstände zu verbessern. Wir durften nicht bloß von der elenden Kost leben, die man den Gefangnen reichte. Wir konnten wenigstens zu Mittage etwas Bessers haben. Wir hatten dem Aufseher lange angelegen, uns einige englische oder französische Bücher zum Lesen zu verschaffen; allein wir erhielten keine. Er gab uns etliche russische Chroniken und einen Popen oder Geistlichen, der uns diese Sprache lehren sollte. Wie froh waren wir, daß wir etwas zu tun bekamen. Es waren sehr mittelmäßige Bücher, und dennoch lasen wir sie wohl zehnmal durch. Wir konnten wenigstens, solange wir sie lasen, nicht an unser Elend denken, und dieser Vorteil war groß genug für die Mühe, die wir anwenden mußten, wenn wir die Geschichte der alten barbarischen Fürsten in Rußland verstehn wollten. Unser Pope vertrieb uns durch seinen Unterricht in der Sprache alle Tage etliche Stunden für ein geringes Geld. Er brachte endlich einige kleine Bücher mit, welche von der griechischen Religion handelten. Er war so unwissend darinne, als man nur sein kann. Steeley widersprach ihm nach seiner Gemütsart sehr oft, und so wenig er noch das Russische sprechen konnte, so konnte er doch genug, um ihn zu widerlegen. Ich und Sidne baten ihn oft, es nicht zu tun, weil wir nach und nach viel Bosheit bei dem Popen merkten. Da endlich unser Geld alle wurde und der Pope auf die Letzt meistens betrunken zu uns kam, so dankten wir diesen Geistlichen ab. Dieses verdroß ihn. Er schalt auf Steeleyn und den armen Sidne, der ihm das letzte Geld für seine

Unterweisung auszahlte. Wir suchten ihn bald durch gute Worte, bald durch Stillschweigen zu besänftigen, aber vergebens. Der Branntwein und eine niederträchtige Seele tobten aus ihm, und er lärmte und schrie, bis die Wache hereintrat. Sie fragte, wer[49] es wäre, und der Bösewicht beschuldigte uns, daß wir wider den Zar und die Kirche gesprochen hätten. Die Wache ward über diese Beschuldigung so rasend, daß wir in der Gefahr waren, umgebracht zu werden. Der Oberaufseher kam und versprach dem Popen Genugtuung; wir aber wurden gleich als die größten Missetäter geschlossen. Ach meine Gemahlin, soll ich Euch unsere damalige Angst beschreiben? Soll ich Euch alles sagen? Wir wurden den andern Tag zum Verhör gebracht. Der Pope, dessen Wort unbetrüglich war, wiederholte seine Beschuldigung zuerst gegen Steeleyn. Mein Freund berufte sich auf seine Unschuld, aber vor diesem erschrecklichen Gerichte galt sie nicht. Man verfuhr nach ihrer barbarischen Gewohnheit, die Wahrheit vor Gerichte herauszubringen. Man ließ ihn niederwerfen und ihm die Bodoggen geben, damit er bekennen sollte. Er stund diese Marter vor unsern Augen standhaft aus und ließ unter den Händen der Barbaren, die ihn mit zween Stäben auf den bloßen Leib schlugen, nicht die geringste Klage hören. Als seine Qual vorüber war, ohne daß man ihm ein Geständnis hatte abzwingen können, so kam die Reihe an den unglückseligen Sidne. Der Pope bekannte wider ihn, und Sidne, der mit tausend Tränen und Bitten dieser Marter vergebens zu entgehn suchte, ward endlich niedergerissen. Ich wollte das Gesicht wegwenden, um seiner Qual nicht mit zuzusehn; allein die Wütriche nötigten mich, der nächste Zeuge davon zu sein. Er duldete sie, ohne sie zu überleben. Sobald man ihm die gesetzte Zahl von Streichen gegeben hatte,

20 *Bodoggen:* Aus russ. batog, pl. batogi; Stock. »Da der Delinquente sich auf die Erde legen muß und die Spießruten bekommt« (F. Chr. Weber, *Das veränderte Rußland*, Frankfurt und Leipzig 1738–40, S. 228).

so lag er ohne Bewegung da. Man nahm ein Geschirr Wasser und goß es ihm über das Gesicht, um ihn wieder zu sich selbst zu bringen; doch es war kein Leben in ihm; und dieses befremdete unsere Richter um desto weniger, weil viele von den Angeklagten unter dieser Marter das Leben einbüßen. Steeley war wegen seines Unvermögens beiseite geschafft; Sidne war tot; und ich erwartete, ohne mir recht bewußt zu sein, mein Schicksal. Der boshafte Pope verlor entweder mit dem Leben des Sidne seine Rachbegierde, oder er hielt sich von mir am wenigsten beleidiget. Er beschuldigte mich keiner Lästerungen wider den Staat, er begehrte nur, daß ich gestehen sollte, daß meine beiden Kameraden welche ausgestoßen hätten. Ich verteidigte mich, daß ich von nichts wüßte. Man befahl, ebendiese Marter an mir vorzunehmen. Man legte mich auf die Erde und fragte noch einmal, ob ich nichts gehört hätte. Die Furcht vor der Pein und vor dem Tode bestürmten mich entsetzlich. Dennoch beschloß ich, eher zu sterben, als durch ein falsches Bekenntnis mir das Leben zu retten und es Steeleyen vielleicht zu nehmen. Ich weiß nicht, ob mein trauriger Anblick den Popen zum Erbarmen bewegte; genug, er bat für mich um Gnade und sagte, daß ich vielleicht die Lästerungen nicht könnte verstanden haben, weil ich nicht soviel Russisch könnte als die andern beide. Man ließ mich also wieder aufstehn und brachte mich in unser Gefängnis zurück, in welchem ich Steeleyn sinnlos antraf. Ich warf mich zu ihm auf das harte Lager und umarmte ihn mit der einen Hand; denn mit der andern war ich noch geschlossen. Er sprach die ganze Nacht kein Wort und lag in einem fühllosen Schlummer. Der Morgen brach an. Ich redte auf meinen Freund, und er schlug endlich zu meiner Freude die Augen auf und reichte mir die Hand. Unser Aufseher kam und erkundigte sich, ob Steeley noch lebte. Er ließ mir die Banden abnehmen und schien uns beide zu bedauern. Ich versicherte ihn bei allem, was heilig ist, daß mein Freund so unschuldig wäre als ich. »Das hilft euch nichts«, sprach er. »Das Zeugnis des Popen als eines Geistlichen gilt, und ihr seid beide[50] verurteilt, nach Sibirien geschickt zu werden. Gott helfe euch! ich kann euch nicht helfen, sonst muß ich alles von dem Popen befürchten. Seid zufrieden, wenn euch die Zunge nicht aus dem Halse geschnitten wird, ehe ihr nach Sibirien verwiesen werdet; denn dieses widerfährt denen, die wider den Staat oder die Kirche gesprochen haben. Warum seid ihr so unvorsichtig gewesen und habt den Popen beleidigt? In ein paar Tagen wird man euch nebst andern Gefangnen nach Sibirien schicken. Ich werde euch wohl nicht wiedersehn.« Ich warf mich neben Steeleyn nieder, der immer noch in seiner Betäubung lag und wenigstens itzt glücklicher war als ich, weil er sich seiner nicht mehr bewußt zu sein schien. Anstatt daß der Aufseher mir einen Trost hätte zusprechen sollen, so forderte er für die grausame Nachricht und für seine Dienste überhaupt noch eine Belohnung. Ich griff in Steeleys Taschen, um für ihn etwas zu suchen; allein die Wache hatte ihm alles genommen. Da der Aufseher kein Geld mehr sah, so schien der Schatten von seinem Mitleiden zu verschwinden. Er ging mißvergnügt fort und ließ mich in einem Zustande liegen, den ich Euch nicht beschreiben kann. Ich versank in Schwermut und Traurigkeit. Von Gott und Menschen in meinen Gedanken verlassen und feindselig im Herzen wider beide, schlief ich schrecklicher Mensch ein, indem ich mir den Tod tausendmal wünschte. Es war viele Nächte kein Schlaf in meine Augen gekommen, und meine zerstörten und ermatteten Geister hatten eine lange Ruhe nötig, wenn sie wieder zu sich selbst kommen sollten. Ich glaube, daß ich länger als vierundzwanzig Stunden in einem Stücke geschlafen habe. Ich erwachte und sah meinen Freund mit aufgeschlagnen Augen neben mir liegen. Er fragte mich, wo Sidne wäre, denn er war weggeschafft worden, ehe Sidne starb. Ich konnte ihm nicht antworten. »Ist er tot? Ach, wenn doch Gott das wollte! So wäre er glücklicher als wir. So ist er nicht mehr in den Händen der Henker?« Ich sagte ihm, daß er tot wäre. Ich fragte ihn, ob er noch große Schmerzen empfände, und er fragte mich, ob ich sie noch sehr fühlte, denn er glaubte, daß ich seine Marter ebenfalls ausgestanden hätte. »Also hat man Euch verschont?« fing er nach meiner Erzählung an. »Nun bin ich doppelt zufrieden. Sidne ist tot, und Ihr habt meine Qual nicht gefühlt. Für beides müssen wir Gott danken.«

Ich konnte ihm die Nachricht von unsrer Verweisung nach Sibirien nicht länger verschweigen. Ich sagte ihm, was ich von dem Aufseher gehört hatte. Er schien durch das erlittene Unglück schon so unempfindlich geworden zu sein, daß ihn Sibirien nicht mehr schreckte. Als ich aber davon anfing, daß man uns vielleicht noch grausamer begegnen würde, so rang er die Hände. »Nein, nein«, schrie er, »lieber den Tod, tausendmal lieber als jenes. Wollt Ihr noch leben, wenn man Euch so mißhandelt?« Wir überließen uns der Wut und der Verzweiflung von neuem. Indem trat der Aufseher in unser Gefängnis und kündigte uns an, daß man uns morgen früh nach Sibirien abführen würde. »Wird man uns«, rief Steeley, »noch etwas mehr tun?« »Nein«, sprach der Russe, »nichts mehr, Ihr seid beide nur verurteilt, nach Sibirien zur Arbeit verwiesen zu werden.« Nun schien uns das größte Elend geringe zu sein, da wir nur hörten, daß man keine weitere Gewalt an uns ausüben wollte; und wir fanden in dem Verluste dieser Furcht eine Art des Trostes, den uns alles andere nicht hätte geben können. Steeley wollte dem Aufseher noch eine Belohnung geben, allein sein Geld war ihm genommen. Nachdem er lange gesucht, fand er endlich noch zween Rubel. Er stund vor Freuden zum ersten Male von seinem Lager auf und sagte dem Aufseher, daß er seinen Reichtum mit ihm teilen wollte. Dieser war auch so menschlich, daß er ihm die Hälfte zurückgab. Steeley fragte darauf, wo man den toten Körper des Sidne hingetan hätte, ob er ihn nicht noch einmal sehen könnte. Der Russe antwortete, daß man ihn schon an dem Orte eingescharret hätte, wo die Missetäter begraben würden. »Er liege, wo er wolle«, fing er mit einem tränenden Ungestüm an, »er ist doch ein ehrlicher Mann und mein Freund. Es ist ihm Unrecht geschehn – –.« Ich rief ihm zu, daß er schweigen und sich aus Liebe zu seinem toten Freunde nicht noch unglücklicher machen sollte. Er fragte, ob es nicht noch[51] möglich wäre, einen von seinen Landsleuten zu sprechen; aber daran war nicht mehr zu denken. Nunmehr nahm unser Aufseher Abschied. Wir dankten ihm unaussprechlich für seine Menschenliebe, ob wir sie gleich meistens erkauft hatten. Wir umarmten ihn und fragten ihn immer, ob es auch gewiß wäre, daß man uns nichts weiter tun würde. Er versicherte uns dieses mit dem größten Eide, den sie in ihrer Sprache haben. Wir wollten ihm noch etwas Geld geben, daß er uns zu essen schaffen sollte; denn es war wohl der dritte Tag, daß wir nichts zu uns genommen hatten. Auf einmal ward er großmütig und sagte, daß er uns zu essen und auch ein Glas Branntwein auf unsere traurige Reise und Steeleyn ein Pflaster über den Leib bringen wollte, welches ihm gute Dienste tun würde. Er hielt sein Wort und brachte uns, was er uns versprochen hatte. Wir aßen den Abend ziemlich ruhig und ergaben uns in alles, was uns begegnen würde, weil wir sicher waren, daß uns fast nichts Schrecklichers begegnen konnte[52]. Der Schmerz, den Steeley noch in dem Leibe fühlte, minderte sich durch das empfangne Pflaster. Der Morgen brach an, ohne daß wir geschlafen hatten, und man foderte uns zur Reise auf. Der Aufseher empfahl uns dem Offizier, der uns zu den übrigen acht Gefangnen führte, welche mit uns nach Sibirien sollten gebracht werden und welche, wie ich nachdem erfuhr, meistens vornehme Russen und wegen der Rebellion verdächtig waren. Wir wurden alle zehn auf zwei Fahrzeugen verteilt, und ich hatte gleich das Unglück, daß man Steeleyn von mir trennte und auf den andern Wagen wies. Mehr hatte zu meinem Elende nicht gefehlt.

So, wie wir auf einer Station ankamen, mußten wir auch wieder fortgebracht werden; also kam Steeley niemals zu mir, und ich habe auf dem ganzen Wege nichts als einzelne Worte mit ihm sprechen können. Drei von meinen Gefährten waren Russen, und ihre Herzen waren so wild als ihre Gesichter. Ihr Unfall machte ihre Gemüter nur mehr erbittert, und sie schämten sich, daß sie als russische Knees mit einem Schweden und einem Franzosen, denn dieses war mein vierter Gefährte, ein gleiches Unglück teilen sollten. Der Franzose, der Major gewesen war und sich unglücklicherweise seinem Obersten mit dem Degen widersetzt hatte, ward bald mein Vertrauter, und wir waren um desto glücklicher, weil die Russen kein Französisch verstunden. Er hatte die edlen Meinungen einer guten Erziehung im Felde nicht verloren; und so unterschieden seine Gemütsart von der meinigen war, so machte uns doch[53] das Unglück schon halb zu Freunden. Er hatte ein von Natur ehrliches Gemüt, und das Mißtrauen, das ich anfangs bei ihm merkte, verlor sich völlig, da er mein Herz kennenlernte. Ich bildete ihn auf unserm elenden und beschwerlichen Wege so, wie ich ihn haben wollte und wie er sein mußte, wenn er mir Steeleys Verlust einigermaßen ersetzen sollte. Je näher wir Sibirien kamen, desto unfreundlicher wurden wir an denen Orten aufgenommen, wo man uns weiter fortschaffen mußte. Wir achteten die Niederträchtigkeiten, ich und Remour, so hieß der Franzose, kaum mehr, mit denen man uns begegnete. »Wir bleiben doch rechtschaffene Leute«, sprach der Major immer zu mir, »wenn uns gleich der Pöbel verunehrt.« Er, ich und die vornehmen Russen, wir waren einer so arm als der andre; und wenn wir auch etwas gehabt hätten, so würde uns doch der Pöbel oder unsere eigene Bedeckung nichts gelassen haben; so feindselig geht man mit denen um, die das

8 *Knees:* Russischer Adelstitel, den Zar Alexei freizügig allen denen verlieh, die sich in den neu erworbenen Teilen seines Reiches zum Christentum bekehrten.

Unglück haben, nach Sibirien bestimmt zu sein. Wir hatten nichts als trocknes Brot, und auch damit waren wir zufrieden. Die Kälte quälte uns am meisten. Niemand empfand sie mehr als der arme Steeley an seinem mißhandelten Körper. Nach ungefähr sechs oder sieben Wochen kamen wir in Tobolskoy an, wohin wir verwiesen waren. Wir fanden, daß ich's kurz sage, hier alles, was eine Gegend fürchterlich und das Leben eines ins Elend Verwiesenen traurig machen kann. Wir wurden dem Gouverneur vorgestellt, und ich hatte das Unglück, von meinem lieben Steeley getrennt zu werden; doch blieb mir Remour. Der Gouverneur legte uns allen nach der eingeführten Gewohnheit einerlei Schicksal auf, nämlich die elende Beschäftigung, Zobel zu fangen, deren Felle an den russischen Hof geliefert werden. Stellt Euch vor, was ein Mann von meinem Stande und von meiner Gemütsart fühlen muß, der sich zu der niedrigsten Verrichtung verdammet sieht, der mit stumpfen Pfeilen in den Wäldern herumirren und Zobel erlegen oder sie mit Fallen fangen und unter den Befehlen solcher Menschen stehn muß, die nicht viel vernünftiger und oft grausamer als Tiere sind. Wenn nicht die größte Plage durch die Länge der Zeit etwas von ihrer Last verlöre, wenn nicht die größten Beschwerlichkeiten dem Körper endlich zur Gewohnheit würden oder, daß ich mehr sage, wenn Gott denen, die ohne ihre Schuld unglücklich sind, nicht selbst ihr Schicksal durch ihre Unschuld und durch die geheimen Vergnügungen eines guten Gewissens in gewissen Stunden erleichterte, so würde mein Zustand in Sibirien ein Stand der Verzweiflung gewesen sein. So elend jeder Tag verstrich, so fand ich doch wenigstens alsdann eine Beruhigung, wenn ich meinen Remour sehn und sprechen und das, was mir begegnet war, und auch das, was ich ihm schon hundertmal gesagt hatte, in seine Seele ausschütten konnte. Ein Sklave zu sein, bleibt allemal das größte Unglück; allein einen Freund in diesem Elende zum Gefährten zu haben, ist zugleich die größte Wohltat. Eine Umarmung, ein Wort, ein Blick von ihm, alles ist ein Trost, der sich nicht ausdrücken läßt, alles ist Mitleiden; und was sucht ein unglückliches Herz, das der Notwendigkeit elend zu sein unterworfen ist, mehr als Mitleiden? Ich würde undankbar gegen mein Schicksal sein, wenn ich, da ich Euch mein Ungemach erzähle, nicht auch der kleinen Annehmlichkeiten gedächte, die der Elendeste noch in seinen Umständen zuweilen empfindet. Die Natur der Dinge scheint sich den Unglücklichen zu gefallen oft zu verändern; und das, was mir im Glücke eine Betrübnis gewesen sein würde, ward mir im Unglücke ein Trost. Ich habe, seitdem ich so glücklich bin, weniger ein Sklave zu sein, diesen Spuren der Vorsehung oft mit tiefer Ehrfurcht, obgleich mit einem innerlichen Schauer nachgedacht. Vielmal habe ich, wenn ich der Verzweiflung am nächsten war und in der Ferne einen andern Verwiesnen erblickte, in diesem Anblicke einen Trost gefunden. Der Tod selbst, der uns sonst so schrecklich scheint, ist mir tausendmal zur Wollust geworden, und der Gedanke von ihm, der uns sonst niederschlägt, hat mich unter der Last, unter der ich seufzte, recht göttlich aufgerichtet. Ich bin in der Vorstellung, daß ich in dieser oder jener Nacht vielleicht sterben könnte, oft so freudig eingeschlafen, als ob ich alles hätte, was ich wünschte. Und wenn ich um und neben mir kein Vergnügen erblicken konnte, so brachte mir die Religion doch oft die Freuden aus einer andern Welt herüber. Nachdem ich also drei Jahre in einer vollkommenen Knechtschaft zugebracht und gleich den andern Gefangenen mir das Brot aus den Händen meiner Gebieter durch eine gewisse bestimmte Anzahl der Tiere, die wir fingen, erkaufen müssen, so ereignete sich die Begebenheit mit dem polnischen Juden. Dieser dankbare Mann, wie ich Euch schon erzählt habe, hat mich durch seine Vorbitte bei dem Gouverneur und durch sein erlegtes Geld von der Arbeit befreit. Er hat es nach und nach so weit gebracht, daß ich in ein lichter und geraumer Behältnis gekommen bin. Sobald ich dieses nur hatte, so suchte er mir meine Gefangenschaft noch mehr zu erleichtern. Er brachte mir ein bequemes Kleid und entriß mich dem groben und wilden Anzuge, in welchem ich nun schon so lange gegangen war. Schreckliches Kleid, das noch hier vor meinen Augen hängt und mich an das vorige Unglück erinnert! Er brachte mir allerhand Decken und Pelzwerke zum Schlafen, wiewohl mich diese anfangs nur an dem Schlafe hinderten. Eine lange Gewohnheit, hart zu liegen, hatte sie fast unnützlich[54] für mich gemacht. Er besuchte mich oft und niemals, ohne mir eine Guttat zu erweisen. So sehr mein Zustand von dem vorigen unterschieden war, so war er mir doch nicht angenehm genug, weil ich ihn nicht mit Steeleyn oder mit[55] Remourn teilen konnte. Von Steeleyn hatte mein Wohltäter auf mein Bitten die Nachricht eingezogen, daß er nach Pohem, vierzehn Tagereisen von Tobolskoy, gebracht worden wäre, ob er aber noch lebte, das konnte ich nicht erfahren. Der Jude hatte mir ein Geschenk von ein Dutzend Dukaten gemacht, damit ich in seiner Abwesenheit etwas zu meiner Versorgung hätte. Ich wagte es und bat ihn, daß er drei davon Remourn überbringen oder ihm einige Erquickungen dafür schaffen möchte, die übrigen hub ich in Gedanken für Steeleyn auf. Er tat es, und das war nicht genug: er brachte es noch denselben Tag dahin, daß Remour etliche Stunden zu mir gelassen wurde. Ich teilete mein Herz mit ihm und alles, was ich hatte. Ich hoffte dieses Vergnügen noch mehrmals zu genießen; allein er ward darauf krank und starb; und ich erhielt nicht eher als etliche Stunden vor seinem Tode die Erlaubnis, ihn zu besuchen, da er kaum noch etliche Worte stammeln konnte. Der Jude setzte, wie er mir versprochen hatte, seine Besuche fleißig fort. Er gab mir allerhand Anschläge, allerhand Nachrichten von dem Gouverneur und sagte mir, daß er bei dem Zar in großen

17 *Pohem:* Ortschaft in Sibirien am Taffda-Fluß, auf dem Wasserweg von Rußland nach Tobolsk.

Gnaden stünde, daß er mit ihm in Deutschland gewesen wäre, daß seine Gemahlin aus Kurland gebürtig und eine Vertraute der Katharina gewesen sei. Er erzählte mir ferner, daß der Gouverneur ein großer Liebhaber vom Bauen wäre und daß ich, wenn ich etwas von der Baukunst verstünde, mir vielleicht gar seine Gnade erwerben würde. Dies war mir eine sehr angenehme Nachricht. Ich sagte ihm, daß ich zeichnen und Risse zu Gebäuden machen könnte, und wenn er mir die nötigen Sachen schaffte, so würde ich wenigstens eine Beschäftigung in meiner Einsamkeit mehr haben. Er tat es, und ich übte mich einige Wochen. Sobald ich einen nicht ungeschickten Riß fertig hatte, so trug ihn der Jude zum Gouverneur. Den andern Tag wurde ich schon zu ihm geholt. Er verstund zu meinem Glücke etwas von der Baukunst und würdigte mich als mein Befehlshaber etlicher freundlichen Mienen und unterredte sich mit mir bald auf deutsch, bald im gebrochnen Latein. Er erschrak, daß ich so fertig Latein sprechen konnte, und von diesem Augenblicke an schien er mich zu bedauern. »Wenn es bei mir stünde«, sprach er ,»so wollte ich Euch die Freiheit schenken; allein Ihr seid auf zeitlebens nach Sibirien verbannet, und ich kann nichts tun als Euch Eure Gefangenschaft erträglicher machen. Solange ich lebe, soll Euch alle Arbeit der Gefangnen erlassen sein, ohne daß der Jude etwas weiter für Euch bezahlt. Seid Ihr damit zufrieden?« Ich bedankte mich sehr ehrerbietig und sah ihn beweglich an. Ihr könnt leicht denken, warum ich ihn nunmehr bat. Ich nahm alle meine Beredsamkeit zusammen, um ihn zu bewegen, daß er einem Freunde von mir, der zugleich mit mir nach Sibirien verwiesen worden und Steeley hieße, eben die Großmut erzeigen sollte, die er mir erwiesen hätte. »Ihr bittet mehr«, fing er an, »als mir zu tun freisteht. Ich will mich entschließen. Itzt könnt Ihr gehn und mir den Riß von dem Gebäude machen, von dem ich mit Euch gesprochen habe.« Indem er dieses noch sagte, trat ein sehr schönes Frauenzimmer mit einer vielversprechenden und großmütigen Miene in das Zimmer. »Wartet«, rief er mir zu. »Hier, meine Gemahlin«, fuhr er fort, »ist der unglückliche Schwede, von dem ich Euch neulich gesagt habe. Wenn es Euch gefällt, so könnt Ihr selbst mit ihm reden und ihm etwas zu essen reichen lassen. Ich will ein paar Stunden auf die Jagd reisen.« Er ging fort, und seine Gemahlin redte auf eine sehr liebreiche Art mit mir und sagte, daß sie Ursache hätte, an meinem Unglücke teilzunehmen, weil ich, wie sie hörte, ein halber Landsmann von ihr wäre. Sie tat tausend Fragen an mich und belohnte meine Erzählungen mit einer mitleidigen Aufmerksamkeit und mit einer Höflichkeit, die mir alle Furcht benahm, frei und edel mit ihr zu reden. Nichts hörte sie lieber als die vorteilhaften Beschreibungen, die ich ihr von Euch machte, und die Wünsche, Euch, meine Gemahlin, wiederzusehen. »Ich bedaure Sie«, fing sie an, nachdem sie wohl zwo Stunden mit mir gesprochen hatte; »und ich würde Ihren Verdiensten ein besser Schicksal anweisen, wenn ich dem Hofe näher wäre. Vielleicht ist es möglich, daß ich mit der Zeit noch etwas zur Rückkehr in Ihr Vaterland beitragen kann. Die ausnehmende Liebe, die Sie wider die Gewohnheit Ihres Geschlechts für Ihre Gemahlin haben, und Ihr Unglück sind genug, mich zu Ihrer Freundin zu machen, und ich kann Ihnen meine Hochachtung nicht entziehn, wenngleich Ihre Gebieter Ihnen als einem Sklaven begegnen. Gefällt Ihnen mein Mitleiden, so beruhigen Sie sich damit in einem Lande, wo die Barbarei die Stelle der Tugend zu vertreten scheint. Ich würde diesen Mittag mit Ihnen speisen, wenn ich meinem Willen folgen dürfte.« Darauf langte sie von der Tafel, die schon gedeckt war, eine Flasche Wein und trank mir Eure Gesundheit zu. Ich ward von ihrer Großmut bis zu den Tränen gerühret, und es war mir unmöglich, ihr meinen wahren Namen länger zu verschweigen. Ich warf mich zu ihren Füßen. »Madame«, fing ich an, »Sie verdienen, daß ich Ihnen auf den Knien für die Freundschaft danke, die Sie mir Unglücklichem schenken. Ich muß Ihnen alles sagen, wenn auch mein Bekenntnis mit der Gefahr meines Lebens verknüpft sein sollte. Alles ist wahr, was ich Ihnen erzählt habe, allein ich heiße nicht Löwenhoek. Nein, ich bin der Graf von G**, und ich bitte Sie bei Ihrer edlen Seele und bei meiner Gemahlin, meinen Namen nicht zu entdecken.« Sie hob mich freundlich auf, und ich erzählte ihr mein Unglück bei der Armee. »O Gott!« rief sie, »sind Sie der Graf von G**? Mein Gemahl hat Ihren Vater als Gesandten in Moskau gekannt. Unglücklicher Graf! Sagen Sie ihm ja nichts davon. Soviel ich Ursache habe, mit seiner Aufführung gegen mich zufrieden zu sein, so hat er doch gegen andere ein hitziges und rachgieriges Herz, und wie bald könnte es nicht geschehen, daß Sie ihn wider Ihren Willen beleidigten. Begegnen Sie ihm ja[56] allezeit mit einer tiefen Unterwerfung und alsdann am allermeisten, wenn er am gnädigsten mit Ihnen umgeht; außerdem stehn Sie in der Gefahr, noch weit mehr zu erfahren. Er liebt das Geld, und es wird gut für Sie sein, wenn ihm der Jude von Zeit zu Zeit ein Geschenk macht. Ich habe kein Geld«, fuhr sie fort, »um Ihnen zu dienen; allein ich habe Juwelen, von denen mein Gemahl nichts weiß, davon will ich Ihnen einige holen. Der Jude ist ein ehrlicher Mann und wird Ihnen doch wenigstens die Hälfte soviel dafür geben, als sie wert sind; allein ich wollte es nicht gern, daß Sie ihm sagten, von wem Sie solche bekommen hätten.« Sie brachte mir darauf zwo goldne Einfassungen, die, wie ich mutmaßte, von ein Paar Porträts abgenommen waren. Sie waren mit kostbaren Steinen besetzt. »Nehmen Sie«, sprach sie, »dieses Geschenk als einen Beweis an, daß es mir nicht an dem Willen fehlt, Ihr Elend zu mindern. Ich zweifle, daß ich jemals wieder die Gelegenheit erhalten werde, Sie allein zu sprechen; darum wiederhole ich Ihnen mein Mitleiden und meine Hochachtung und bitte Sie, in mir auch alsdann Ihre Freundin zu erkennen, wenn ich genötiget sein werde, die Person einer Gebieterin anzunehmen. Begeben Sie sich nunmehr wieder in Ihren einsamen Aufenthalt. Ich will sehn, ob ich's bei meinem Gemahle so weit bringen kann, daß Ihr Freund, von dem Sie mir erzählt haben, zu Ihrer Gesellschaft hieher verlegt wird. Gewiß kann ich's Ihnen nicht versprechen. Gehn Sie und leben Sie wohl, armer Graf!« Ich kehrte als im Triumphe zurück und hielt mich nunmehr unter den Händen der Barbaren für geehrt und glücklich; so sehr erfüllte das Mitleiden dieser so großmütigen Seele mein Herz mit Hoheit und Hoffnung. Mein Jude besuchte mich den Tag darauf. Und ehe ich ihm erzählte, wie ich von dem Gouverneur aufgenommen worden, so sagte ich ihm, daß ich so glücklich gewesen wäre, in dem alten Kleide meines verstorbenen Freundes, das er, da er bei mir war, zurückließ, weil ich ihm ein neues gab, und das[57] ich itzt vor mich hingelegt hatte, einige Kostbarkeiten zu finden, wodurch ich ihm vielleicht die Kosten ersetzen könnte, die er als mein Freund für mich zeither aufgewandt hätte. Er betrachtete die beiden Einfassungen mit Erstaunen und schien mein Vorgeben zu glauben. »Das sind fürstliche Kostbarkeiten«, fing er an, »und ich kann Euch meine Aufrichtigkeit nicht besser beweisen, als daß ich Euch sage, daß sie fünf- bis sechstausend Taler wert sind. Wollt Ihr mir sie anvertrauen, so will ich sie Euch bei einem Juden, der Steine einkauft, verhandeln.« »Ein Mann«, sprach ich, »der mir soviel Gutes erwiesen hat wie Ihr, verdient das größte Vertrauen.« »Allein«, versetzte er, »was wollt Ihr mit so vielem Gelde anfangen? Man könnte es Euch über lang oder kurz nehmen. Wißt Ihr, was ich machen will? Ich will das Geld, das ich dafür bekomme, bei einem Juden, der hier wohnhaft ist, niederlegen; er soll Euch nicht um einen Groschen betriegen. Ich will ihm und, wenn ich binnen acht Tagen wieder zurück nach Polen reise, auch dem Gouverneur sagen, daß ich Euch als dem Erhalter meines Lebens soundso viel zu Eurer Versorgung und, wenn es möglich wäre, zu Eurer baldigen Befreiung zurückgelassen hätte.« Kurz, ich war alles zufrieden. Er verkaufte die Juwelen für fünftausend Taler und brachte mir tausend bar und das übrige durch eine Anweisung mit. Ich bot ihm für seine treuen Dienste zweihundert Taler an; allein er nahm sie unter keiner andern Bedingung, als daß er sie bei seiner Abreise dem Gouverneur schenken wollte, damit er mir günstig bliebe. Dies ist geschehn. Er hat mir durch meinen lieben Juden versprechen lassen, daß ich Steeleyn gewiß zu mir bekommen sollte, zumal wenn er auch etwas von der Baukunst verstünde. Der Jude selbst steht nunmehr im Begriffe fortzureisen. Ich verliere sehr viel an diesem treuherzigen Manne; doch will ich ihn gern verlieren, wenn er das Werkzeug ist, durch den Ihr von mir und ich von Euch eine Nachricht erhalte. Er kennt meinen wahren Stand, und er hat mir's auf die heiligste Art versprochen, weder mich zu verraten noch zu ruhn, bis er Euern Aufenthalt in Livland ausfündig gemacht. In dieser letzten Absicht hat er hundert Taler zu Reisekosten von mir angenommen. Er kömmt, der ehrliche Mann, und will Abschied nehmen und seinen Brief haben. Ich umarme Euch, wo Ihr auch seid, mit der treusten Liebe. Möchten doch meine Umstände so bleiben, wie sie itzt sind, so hoffe ich noch, Euch wiederzusehn und alle mein ausgestandnes Elend in Eueren Armen zu vergessen. Bittet den Himmel um diese Glückseligkeit. Ja, meine liebste Gemahlin, er wird sie uns noch schenken.

P. S. Ich habe, weil Steeley noch nicht zugegen ist, an seinen Vater nach London und auch an den englischen Gesandten nach Stockholm geschrieben und unter dem Namen Löwenhoek beiden von meines Freundes neuem Unglücke Nachricht gegeben.

Dieses sind die beiden Briefe, die mein Gemahl in seiner Gefangenschaft an mich geschrieben. Er hat von dem Abgange des letzten Briefs an ungefähr noch anderthalb

Jahre in Sibirien zugebracht. Ich will das übrige so erzählen, wie er mir's mündlich erzählet hat.

»Einige Wochen nach des Juden Abreise«, sprach er, »ward ich zum Gouverneur geholt. Ich übergab ihm mit vieler Demut den Riß, den er mir zu machen befohlen hatte. Er war ziemlich wohl damit zufrieden; allein er war doch der Gouverneur und ich sein Gefangner. Kurz, er schämte sich, mir eine Art der Hochachtung äußerlich sehn zu lassen, die er mir vielleicht im Herzen nicht ganz abschlagen konnte. Er fragte mich, ob mir der Jude sound so viel Geld zurückgelassen hätte, und ich beantwortete es mit ja. Darauf befahl er, daß der Gefangene hereintreten sollte; dieses war mein lieber Steeley, den ich fast seit vier Jahren nicht gesehen hatte. Ich vergaß vor Freuden, daß ich vor dem Gouverneur stund, und lief auf Steeley mit offenen Armen zu. ›Er soll Euer Gesellschafter sein‹, fing der Gouverneur an; ›allein wie lange, das kann ich Euch nicht sagen.‹ Ich verstund diese Sprache und bat, ob er sich nicht wollte gefallen lassen, daß ich tausend Taler zum Unterhalte meines Freundes erlegen dürfte. Er sagte, daß er sie zum Pfande, daß wir seine Gnade nicht mißbrauchen würden, annehmen wollte. Der Jude, von dem ich die Anweisung bei mir hatte, ward gefodert und bezahlte die tausend Taler. Er erhielt zugleich die Erlaubnis, mich anstatt des abgereisten Juden zu besuchen und mich mit dem Notwendigen zu versehen. Nunmehr durfte ich an der Hand meines Steeleys, der noch wie in einem Traume war und nichts als etliche abgebrochne Worte zu mir gesprochen hatte, nach meinem Behältnisse eilen. Unsere erste Beschäftigung, als wir allein waren, bestund darin, daß wir einander eine lange Zeit ansahn, ohne ein Wort zu sprechen. Alsdann suchte ich ihm Wäsche und eine Kleidung, womit mich der Jude noch vor der Abreise versorget hatte; allein er war nicht vermögend, vor trunkner Freude, sich allein anzukleiden, ich mußte ihm helfen. Er sah die Sachen, die ich ihm gab, recht mit Erstaunen an, als ob er ihren Gebrauch vergessen hätte. Da er endlich angekleidet[58] war, so betrachtete er sich mit unersättlichen Augen und weinte. Ich hatte ihn schon oft gefragt, wie es ihm gegangen wäre, und er hatte mir nichts geantwortet als: ›Wie es mir gegangen ist, mein lieber Graf, wie es mir gegangen ist?‹ Ja, ich würde ihm ungeachtet meiner Neugierigkeit doch nicht haben zuhören können, wenn er mir auch meine Fragen beantwortet hätte, so bestürmt war ich von den Trieben der Freundschaft und der Freude. Ich reichte ihm ein halbes Glas Wein, denn mehr hatte ich nicht, und erinnerte ihn, wie er mich einmal in Moskau damit traktieret hatte. Wir wurden nach und nach unser mächtig. Wir hatten einander so viel zu erzählen, daß wir nicht wußten, wo wir anfangen sollten. Unter diesen Unterredungen verstrichen ganze Tage und Nächte und ebenso viele unter den Wiederholungen unserer Begebenheiten. Steeley hatte in seinem Elende weit mehr erlitten als ich. Ohne Mitleiden, ohne Freund, war er die ganze Zeit ein Sklave und, was noch mehr ist, ein Gefährte des boshaften Mitgefangnen, des Knees Eskin, gewesen. Dieses Ungeheuer hatte ihm seine Hütte des Abends zur Hölle gemacht, wenn er den Tag über die Last der Sklaverei überstanden. Von tausend niederträchtigen Streichen, vor welchen die Natur erschrickt, will ich nur einen erzählen. Steeley war krank worden und hatte sich etliche Tage nicht von seinem Lager aufrichten können. Er hatte sich also genötigt gesehen, da Eskin des Abends aus den Wäldern zurückgekommen, ihn zu ersuchen, daß er ihm das Gefäß mit Wasser reichen möchte, weil ihm sehr durstete. ›Also durstet Euch recht sehr‹, spricht Eskin. ›Das ist mir lieb. Es hat mich vielmal auch gedurstet, und Ihr seid gegen einen Fürsten doch nur ein Nichtswürdiger.‹ Darauf nimmt er das Trinkgeschirr und trinkt, und alsdann wirft er's Steeleyn vor die Füße und lacht: ›Da, so viel gehört Euch!‹ Braucht man wohl mehr zur Verzweiflung, als so einen Unmenschen um sich zu haben? Nach einer Zeit von einem Jahre und nach unzähligen Beleidigungen wird dem Eskin, der sich gegen einen von seinen Aufsehern in der Raserei vergangen, so übel mitgefahren, daß man ihn halbtot in sein Behältnis schleppen muß. Man entzieht ihm zween Tage das Brot; aber Steeley ist so großmütig und teilet das seinige mit ihm. Er reicht ihm, so oft er kann, das Trinken. Er wäscht ihm sogar die Wunden aus; und damals hat ihm der Russe die Hand gedrückt und zu ihm gesagt: ›Vergebt mir's, daß ich nicht ebenso an Euch gehandelt, als Ihr an mir tut.‹ Er hat ihm nach diesem weniger Verdruß angetan. Sein ganzes Glück, das ihm in seiner Abwesenheit von mir begegnet ist, besteht in einer kleinen Freundschaft, die ihm ein kosakisches Mädchen in dem letzten Jahre vor seiner Zurückkunft nach Tobolskoy erwiesen. Sie beweist, daß es auch unter dem wildesten Volke noch edle und empfindliche Herzen gibt. Steeley war eines Tages auf seinem Reviere um Pohem so glücklich gewesen, die gesetzte Zahl seiner Zobel bald zu fangen. Auf dem Rückwege nach der Stadt hatte er sich, um auszuruhen, bei einer Quelle niedergeworfen. Darauf kömmt ein wohlgebildetes Mädchen zu ihm und sieht ihn lange starr an. Endlich setzt sie sich nieder und trinkt mit der hohlen Hand aus der Quelle. ›Armer Fremdling‹, fängt sie an, ›wollt Ihr nicht auch trinken?‹ Steeley sagt, daß er's schon getan hätte. ›Aber‹, spricht sie, ›wollt Ihr denn nicht einen Trunk Wasser aus meiner Hand annehmen? Tut es doch, Ihr dauert mich, sooft ich Euch gehn sehe, und ich bin nicht hiehergekommen, um zu trinken, sondern um Euch dieses zu sagen.‹ Steeley erschrickt und weiß selbst nicht, was er sagen soll. ›Ach‹, fährt sie fort, ›Ihr wollt mir nicht antworten? Nun dauert mich's, daß ich Euerntwegen hiehergegangen bin. Wartet nur, ich will nicht wiederkommen.‹ Er sieht sie darauf traurig an und sagt, daß er ihr für ihr Mitleiden recht sehr verbunden wäre, und reicht ihr zur Dankbarkeit die Hand. Diese drückt sie bald an den Mund, bald an die Brust. Sie spielt mit seinen schwarzen Haarlocken und wiederholt ihre Liebkosung auf zehnerlei Art. Er will nunmehr fortgehn. ›Oh‹, spricht sie, ›wartet doch, ich kann mich an Euch gar nicht satt sehn. Ich wollte, daß alle Männer in diesem Lande so aussähen wie Ihr, alsdann würde es recht hübsch in Sibirien sein. Und wenn Ihr ja gehn müßt, werdet Ihr Euch nicht bald wieder hiehersetzen? Ich habe Euch so viel zu sagen, und ich weiß nicht, was es ist. Ich wußte es, ehe ich zu Euch kam, und nun habe ich's über Euren Haaren vergessen.‹ Indem sieht sie in die klare Quelle und sieht ihr Bild darin. ›Aber sagt mir nur‹, spricht sie, ›sehe ich denn wirklich so wie hier im Wasser? Ich habe ja auch schwarze Augen wie Ihr. Eure gefallen mir, gefallen Euch denn meine auch? Sind meine Zähne auch so weiß wie Eure?‹ ›Ja‹, spricht er, ›Ihr seid schön; aber laßt mich gehn, ich bin ein unglücklicher Mensch.‹ Darauf geht sie mit tränenden Augen fort. Als Steeley den andern Morgen wieder in sein Revier geht, so sitzt sie schon an der Quelle und wartet auf ihn. Sie nötigt ihn, daß er sich niedersetzen und ein Stück Honig und Brot aus ihrer Hand essen muß. ›Seht Ihr‹, spricht sie, ›ich äße gern selbst; aber ich gönne es Euch doch noch lieber. Und hier habe ich Euch auch etliche Zobel mitgebracht, womit mich meine Liebhaber beschenkt haben. Nun habt Ihr den ganzen Tag nichts zu tun. Sie sollen mir nun alle Tage welche schenken müssen, und ich will sie Euch bringen. Seht mich doch freundlich an. Ihr hört ja, wie gut ich's mit Euch meine.‹ Sie spielt darauf wieder ganz bescheiden mit seinen Haaren und bittet um eine Locke und zeigt ihm eine Schere, die sie zu dieser Absicht mitgebracht. Steeley, dem die treuherzige und doch ehrbare Liebe dieser wilden Kosakin nicht mißfällt, erlaubt ihr diese Bitte. Sie belohnt ihn durch etliche freiwillige Küsse und zeigt ihm von fern eine Hütte, welches die Hütte ihres Vaters wäre. Darauf nimmt sie ein Blatt von einem Baume und bläst. ›Nunmehr wird mein Bruder kommen. Ich hatte ihn bestellt. Wenn du mir die

Locke nicht im guten gegeben hättest, so hätten wir dich dazu gezwungen. Fürchte dich nicht, er ist wie ich, er tut dir kein Leid. Siehst du‹, spricht sie, da der Bruder, ein Mensch mit einem ehrlichen wilden Gesichte, näher
5 kömmt, ›das ist der Fremdling, dem ich so gut bin. Betrachte ihn nur, und sag es ihm, wie oft ich von ihm mit dir rede. Zeige ihm doch die Gegenden, wo er mit leichter Mühe die Zahl von Zobeln zusammenbringen kann. Ich will auch alles für dich tun. Suche mir in der Nähe
10 eine Höhle oder einen Baum aus, wo ich dem armen Fremden künftig etwas Honig und Fisch und Brot hineinlegen kann.‹ Der Bruder verspricht es ihr und geht mit Steeleyn fort und weist ihm verschiedene Vorteile und auch einen Ort, wie ihn seine Schwester verlangt
15 hatte. Diesen hat sie zur Vorratskammer von ihren kleinen Wohltaten gemacht oder Steeleyn vielmehr entweder des Morgens oder des Abends da erwartet. Sie ist oft ganze halbe Tage bei ihm geblieben, und alsdann hat ihr Bruder ihres Liebhabers Arbeit verrichten müssen. Da
20 Steeley das vortreffliche Herz seiner Schönen wahrgenommen, so hat er sich alle Mühe gegeben, sie zu bilden und ihre edeln Empfindungen von den rauhen Eindrückungen[59] ihrer Erziehung zu reinigen. Sie hat, durch die Liebe ermuntert, im kurzen seine Meinungen und
25 seine Sitten angenommen und so viel Verstand bekommen, daß er sich keine Gewalt mehr hat antun dürfen, ihr gewogen zu sein. Allein dieses Vergnügen hat für beide nicht lange gedauert, weil Steeley nach drei Monaten nebst etlichen andern Gefangnen in eine andre
30 Gegend zwanzig Werste von Pohem verlegt worden. Von da ist er nachdem nach Tobolskoy abgerufen worden und hat also seine Freundin nie wiedergesehn.

Wir richteten, da wir nunmehr wieder beisammen waren, unsre Lebensart so gut ein, als es unsre Umstände
35 zuließen. Der Gouverneur hatte mir ein Reißzeug gegeben, und ich mußte durch meine kleine Kenntnis, die ich in der Mathematik hatte, seine Gewogenheit zu be-

haupten suchen. Ich unterwies Steeleyn in dem, was ich von diesen Dingen wußte, und da er die Rechenkunst, die ihm sein eigener Vater beigebracht, noch sehr gut verstund, so war er in einem halben Jahre in allen diesen Übungen so geschickt als ich. Wir arbeiteten also um die Wette, und der Gouverneur würde uns keine größere Strafe haben antun können, als wenn er uns befohlen hätte, diese Beschäftigung nicht zu treiben und müßig zu sein. Allein er ließ es uns nicht an Arbeiten fehlen. Er gab uns Rechnungen, er gab uns tausend alte Risse, die wir abkopieren mußten, und ich glaube, daß kein verfallnes Schloß in Sibirien und ganz Moskau mehr war, das wir nicht abgezeichnet haben. Er ließ uns zwar nicht zu sich kommen; allein er besuchte uns fast alle Wochen selbst einmal. Wir belohnten diese Gnade mit der möglichsten Demut, und er belohnte sich für seine Herablassung dadurch, daß er alles besser wußte als wir und uns unmittelbar nach einem zu freundlichen Worte, das ihm entwischt war, einmal gebietrisch anfuhr. Steeley, sosehr ihn sonst der Geist des Widerspruchs und der Stolz seiner Nation belebt hatte, war itzt viel gelaßner. Er schwieg, sobald ihn der Gouverneur tadelte; allein damit war dieser nicht allemal zufrieden. Nein, Steeley mußte reden und ihm in der unwahrsten Sache recht geben. Dieses ward ihm sehr sauer, und er tat es mit einer so gezwungnen Art, daß ihm oft der Schweiß darüber ausbrach und daß ich würde haben laut lachen müssen, wenn wir an einem andern Orte als in Sibirien gewesen wären. Einsmals traf er uns an, daß wir Schach spielten. Steeley hatte die Steine mit dem Messer geschnitzt, und sie waren freilich nicht gar zu sauber gemacht. Der Gouverneur besahe sie und hielt ihm eine lange Rede, daß keine Symmetrie und keine Sauberkeit darin zu finden wäre. Mein Freund gab es gern zu und entschuldigte sich, daß er keine Instrumente gehabt hätte. Aber das half alles nicht. ›Wenn sie recht schön sein sollten‹, sprach der Gouverneur, ›so müßten sie sein, als wenn sie gedrechselt

wären, und Ihr seht doch wohl, daß sie nicht so sind, daß sie hier zu viel, dort zu wenig, mit einem Worte grob und schlecht geschnitten sind.‹ Dergleichen Anmerkungen konnte er ganze Stunden fortsetzen, und Steeley
5 zitterte auf die Letzt vor dem Besuche dieses gebietrischen Pedanten. Er setzte sich oft, wenn wir zeichneten, neben uns und stopfte sich eine Pfeife von unserm Tabake ein. Wenn er ihn endlich mit vielem Appetite aufgeraucht hatte, so warf er die Pfeife hin und tat einen
10 großen Schwur, daß unser Tabak nicht das geringste taugte. Zuweilen pries er uns seine Wohltat, daß er uns die ordentlichen Arbeiten erlassen hätte, und nötigte uns dadurch, ihn demütig zu bitten, daß er uns nicht wieder den andern Sklaven gleichmachen möchte. Oft kam er in
15 dem großen Zorne zu uns und fluchte auf die Gefangnen, ohne zu sagen, was geschehen war, und wir mußten seine unsinnige Hitze mit Ehrerbietung anhören. Ob wir ihm nun gleich unsere verbesserten Umstände zum Teil zu danken hatten, so war er doch bei allen unsern Vor-
20 teilen noch unser beständiges Schrecken. Wir kannten seine unmäßige Gemütsart und mußten alle Tage fürchten, daß es ihm einfallen könnte, uns voneinander zu trennen und wieder unter die andern Gefangnen zu stecken. Um diesem Unglücke zu entgehen, ließ ich ihm
25 durch den Juden, der mein Geld in den Händen hatte, ein kleines Geschenk nach dem andern machen.

Ein Jahr war verflossen, seitdem Steeley wieder bei mir lebte. Ich hoffte nun von einem Tage zum andern auf Briefe von Euch, weil der Jude, dem ich den meini-
30 gen mitgegeben, nach Tobolskoy handelte und mir also leicht eine Antwort übermachen konnte; allein ich hoffte vergebens. Steeley hatte ebenfalls binnen dieser Zeit nach London und an den englischen Gesandten nach Schweden geschrieben und keine Antwort erhalten. Die Gemah-
35 lin des Gouverneurs hatte ich seit der Zeit, da sie mir das großmütige Geschenk gemacht, mit einem Worte, seit dem ersten Male nicht wiedergesehn. Alles dieses machte

uns niedergeschlagen; und je erträglicher unsere Gefangenschaft war, desto mehr meldete sich der Wunsch in uns, ihrer gar los zu sein. Und mit was für Rechte konnten wir dies hoffen, da der Krieg mit den Russen und Schweden noch immer fortdauerte? Ich stand eben um 5 die Mittagszeit mit Steeleyn an unserm kleinen Fenster, als ich den Juden mit schnellen Schritten über den Hof durch den tiefsten Schnee laufen sah. Er pflegte um diese Zeit nie zu kommen, und ich schloß aus seiner freudigen Miene, daß er mir einen Brief von seinem Korrespon- 10 denten, dem polnischen Juden, bringen würde. Er brachte mir auch einen Brief, aber von der Gemahlin des Gouverneurs. Sie schrieb mir folgendes.« Der Graf las mir darauf einen Brief, den ich noch besitze. Ich will ihn hier einrücken. 15

Mein Herr,

Ich melde Ihnen eine Nachricht, die ich Ihnen lieber mündlich erteilen möchte, damit ich das Vergnügen hätte, Ihre Freude mit anzusehn und zu genießen. Sie sind frei. Der Befehl wegen Ihrer Befreiung ist gestern mit den 20 neu angelangten Gefangnen angekommen, und Sie sollen morgen nebst vier andern Verwiesenen wieder auf die Art zurück nach der Stadt Moskau gebracht werden, wie Sie hieher gebracht worden sind. Alsdenn haben Sie die Erlaubnis, sich hinzuwenden, wo Sie hinwollen. Ich habe 25 Ihnen Ihre Freiheit durch eine von meinen Freundinnen bei Hofe ausgewirkt. Mein Gemahl weiß es nicht, daß ich mich Ihres Unglücks angenommen habe, und er soll es auch nicht wissen; auch nicht die Welt. Ich bin zufrieden, daß Sie es wissen. Und vielleicht wäre mein Dienst viel groß- 30 mütiger, wenn ich Ihnen solchen nicht selbst bekanntgemacht hätte. Ich war es willens; allein ich war zu schwach; und ich sehe, daß es leichter ist, eine gute Tat zu unternehmen, als sie zu verschweigen. Vergessen Sie diese kleine Eitelkeit, durch die ich mich für meine guten 35 Absichten selbst belohnt habe. Ich zweifle, daß ich das

Vergnügen haben werde, Sie vor Ihrer Abreise noch zu sprechen, wenigstens doch nicht allein. Ich wünsche Ihnen also mit der größten Aufrichtigkeit das Glück, Ihre Gemahlin bald wiederzufinden. Wie wird sie mich lieben, daß ich ihr ihren Grafen wiedergeschafft habe! Für Ihren Freund, den Sie hier zurücklassen, will ich sorgen. Leben Sie wohl, und schreiben Sie mir künftig, ob Sie Ihre Gemahlin angetroffen haben. Wenn meine Wünsche erfüllet werden, so hoffe ich, das betrübte Land, aus dem Sie eilen, noch mit meinem Vaterlande zu verwechseln. Doch nein, ich Unglückliche werde wohl hier mein Leben beschließen müssen. Schreiben Sie mir ja. Ich habe noch eine Stiefschwester in Kurland, an die ich Ihnen den beiliegenden Brief mitgebe. Sollten es Ihre Umstände verlangen, so glaube ich, daß Sie sehr gut bei ihr aufgehoben sind. Sie ist eine Witwe; doch habe ich seit zwei Jahren keine Nachricht von ihr. Leben Sie noch einmal wohl.

Amalia L**

»Diesen Brief las ich und taumelte vor Freuden in Steeleys Arme und wollte ihm sagen, was darinne stünde, allein er wartete meine Entzückungen nicht ab. Er riß mir ihn aus der Hand und las ihn. Ich legte mich mit dem Kopfe auf seine Achsel, um die Bewegungen nicht mit[60] anzusehn, die ihm die Nachricht von meiner Befreiung und seiner fortdauernden Gefangenschaft verursachen würde. ›Ihr seid frei‹, fing er an, ›und ich verliere Euch und bleibe noch ein Gefangner und werde noch unglücklicher als zuvor? Das ist schrecklich! Hat Euch der Himmel lieber als mich? Doch ich werde Zeit genug zu meinen Klagen haben, wenn Ihr nicht mehr bei mir seid. Ich weiß, daß es Euch unmöglich ist, mich zu vergessen. Nein‹, fiel er mir um den Hals, ›Ihr vergeßt mich nicht.‹ Ich konnte ihm vor Wehmut lange nicht antworten, und mein Stillschweigen, das doch nichts als Liebe war, machte ihn so hitzig, als ob ich schon die größte Untreue an ihm begangen hätte. Ich ließ seinen

Affekt ausreden, und nach einem kleinen Verweise sah ich ihn beschämt und gelassen genug, ihm mein Herz zu entdecken und ihn zu überführen, wie unvollkommen mir meine Freiheit ohne die seinige wäre. Ich nahm mit dem Juden die Abrede, daß er mir das Drittel von meinem Gelde zur Reise geben und das übrige für Steeleyn zurückbehalten und uns für seine Mühe, soviel er wollte, abziehn sollte. Der Jude war vorsichtiger als ich. Er sagte mir, daß ich wenig bar Geld mitnehmen sollte, weil ich in der Gefahr stünde, auf der Reise nach Moskau zehnmal darum zu kommen. Er gab mir etwas weniges bar und tausend Taler und[61] darüber in vier Wechseln an Juden in Moskau, damit ich, wenn ich einen verlöre, doch nicht um alles käme; so ehrlich handelte dieser Mann an mir. Ich ward noch vor dem Abend zu dem Gouverneur gerufen. Er lag an dem Podagra krank und kündigte mir meine Freiheit auf dem Bette im Beisein seiner Gemahlin an. Er reichte mir die Hand und sagte: ›Ich habe Befehl, Euch wieder nach Moskau zu schicken, und es soll morgen zu Mittage geschehn. Ich verliere Euch zwar ungern, aber reiset mit Gott, und seid glücklicher, als Ihr bisher gewesen.‹ Ich küßte ihm die Hand aus einer wahren Dankbarkeit und bat um seine fernere Gnade für Steeleyn. ›Wenn ich lebe‹, sprach er, ›so soll es ihm nicht schlechter ergehn als zeither.‹ Er hieß mich niedersetzen (eine Ehre, die er mir zum ersten Male erwies) und sagte, daß er noch viel mit mir zu reden hätte; allein seine Schmerzen meldeten sich so heftig, daß er mir winkte, ihn zu verlassen. Ich tat es und wiederholte seiner Gemahlin im Herausgehn durch eine dankbare Miene die Größe meiner Verbindlichkeit und ihre Wohltat. ›Lebt wohl, mein Herr‹, sprach sie und wandte sich den Augenblick wieder zu ihrem Gemahle. Sobald ich wieder bei Steeley war, so schrieb ich an meine Erretterin, weil ich dieser großmütigen Seele nicht mündlich hatte danken können. Ich gab den Brief dem Juden, der unterdessen die Wechsel besorgt und mir Pelze und andere Notwendigkeiten geschafft hatte, um mich vor der großen Kälte zu schützen. Nunmehr war alles verrichtet, und nun überließ ich mich meinem Freunde die ganze Nacht hindurch. Wir redten, wir weinten und empfanden alles, was wir nur nach unsern verschiednen Umständen empfinden konnten. Der Morgen übereilte uns und ebenso der Mittag, und wir hatten bis auf den letzten Augenblick einander noch, ich weiß nicht was, zu sagen. Der Jude kam und sagte, daß die Schlitten, die mich nebst den übrigen Befreiten fortführen sollten, gleich zugegen sein würden. Wir nahmen Abschied, ohne zu reden, und ich vergaß mich in den Armen meines redlichen Steeleys, bis mich die Aufforderung der Wache von ihm losriß. Er stieß mich fort, und in dem Augenblicke wollte er mir auch nachlaufen; allein man verschloß die Türe, und mein Jude führte mich bis in den Schlitten und rief mir noch die freundschaftlichsten Wünsche nach.

Ich ward nebst drei andern auf einen Schlitten gesetzt, denen Hoffnung und Freude aus den Augen leuchteten. Ich kann nicht sagen, was in den ersten Stunden, ja fast in den ganzen ersten beiden Tagen in meiner Seele vorging. Ein Übermaß von freudigen Wallungen und betrübten Regungen überströmte mein Herz wechselsweise. Man begegnete uns an den Orten, wo wir frische Renntiere bekamen, nicht so verächtlich als damals, da wir auf dem Wege nach Sibirien waren. Meine Gesellschafter waren drei Russen. Sie hatten Geld und versorgten sich an allen Orten mit so vielem Branntweine, daß sie auf der ganzen Reise fast nicht nüchtern wurden. Sie haben mich indessen nie mit Willen beleidiget, und ich würde ihre Freundschaft erhalten haben, wenn ich mit ihnen getrunken hätte. Wir waren zu Ende des Märzen in Moskau. Ich ward in eben das Haus gebracht, in dem ich vor fünf Jahren verwahrt gesessen hatte, und fand den vorigen Gefangenwärter noch. In drei Tagen ward ich völlig losgelassen und bekam einen Paß, und nun konnte ich mich hinwenden, wo ich hin wollte. Ich hatte meine Wechsel noch alle und begab mich nunmehr zu den englischen Kaufleuten, welche Steeley vordem beigestanden hatten, und übergab dem einen, welcher Tompson hieß, ein Billet von ihm. Er nahm mich sehr liebreich auf und sagte mir, daß ihm Steeleys Unglück, nach Sibirien verwiesen zu werden, durch den Gefangenwärter wäre hinterbracht worden, daß er's alsbald nach London an seine Freunde gemeldet und seit drei Jahren verschiedene Briefe an den englischen Agenten in Moskau erhalten hätte. Zu diesem gingen wir den andern Tag. Der Agent war der liebreichste Mann von der Welt. Er wies mir die beweglichen Briefe, die Steeleys Vater an ihn geschrieben hatte. Er wies mir die Memoriale, durch die er bei dem Senate um meines Freundes Befreiung angehalten, und versicherte mich, daß er sie bei der Zurückkunft des Zars, die bald erfolgen sollte, gewiß auszuwirken hoffte. Der englische Gesandte in Schweden hatte ebenfalls an ihn geschrieben und ihn gebeten, alles zu Steeleys Befreiung beizutragen. Er gab mir die Briefe, die er aus London an ihn erhalten hatte, und Tompson führte mich nunmehr zu den Juden, um meine Wechsel zu heben. Ich bekam binnen zehn Tagen mein Geld, zu dem mir Tompson doch wenig Hoffnung gemacht hatte, und büßte nicht mehr als einen Wechsel von hundertundfunfzig Rubeln ein. Der Jude, der mir ihn bezahlen sollte, war in die elendesten Umstände geraten, und seine Mitbrüder versicherten mich, daß sie binnen einem Jahre das Geld für ihn erlegen wollten, wenn er's nicht tun könnte. Ich zerriß darauf den Wechsel und gab dem armen Juden noch zehn Taler von dem übrigen Gelde. Ich bat sie, daß sie mir etliche Briefe an ihren Korrespondenten nach Sibirien, von dem ich die Wechsel empfangen, bestellen sollten. Sie sagten mir, daß drei von ihnen ihrer Geschäfte wegen selbst nach Tobolskoy reisen würden, und wenn ich mich zween Monate hier aufhalten könnte, so wollten sie mir durch die Antwort beweisen, ob sie ihr Wort gehalten hätten. Ich schrieb an meinen Freund; doch ehe der Brief fortging, ließ mich der Agent rufen und sagte mir, daß er endlich so glücklich gewesen wäre, sich um seinen Landsmann verdient zu machen; seine Befreiung wäre in dem Senate unterzeichnet worden, und er hätte das Versprechen erhalten, daß Steeley binnen drei oder vier Monaten aus Sibirien zurückgebracht und freigelassen werden sollte. Ich dankte dem Agenten nicht anders, als ob er mir diese Wohltat selbst erwiesen hätte, und eilte, meinem Freunde diese freudige Nachricht zu melden. Die Juden reisten ab, und ich war wirklich willens, Steeleys Ankunft zu erwarten. Doch die Liebe siegte über die Freundschaft, und das Verlangen, Euch zu suchen, machte mir meinen Aufenthalt in Moskau unerträglich. Ich wollte fort, ohne zu wissen, wohin. Der Handel in die schwedischen Lande war noch verboten. Ich wollte nach Dänemark, weil ich mir einbildete, daß Ihr Euch vielleicht dahin gewendet haben würdet; allein Tompson beredte mich, daß ich mit einem holländischen Schiffe, dessen Ladung er in Kommission hatte und das in Archangel segelfertig lag, nach Holland gehen sollte. Er gab mir eine Adresse an den Kaufmann mit, dem die Waren des Schiffs gehörten, und versprach mir, daß er die Briefe von Steeleyn an ihn einschlagen wollte; ich aber sollte bei diesem Manne die Nachricht zurücklassen, wo ich mich von Holland aus hinwenden würde, damit mich Steeley bei seiner Zurückkunft zu finden wüßte. Ich ging also in der sechsten Woche nach meiner Ankunft in Moskau mit dem Schiffe fort, das mich so unvermutet und glücklich zu Euch gebracht hat. Ehe ich Moskau noch verließ, so gab ich Tompson funfzig Taler, um sie nach meiner Abreise unter etliche von meinen gefangnen Landsleuten auszuteilen.«

Dies war das meiste von dem, was mir mein Gemahl über seine schriftlichen Nachrichten von seinem Aufenthalte in Sibirien erzählt hat. Ich habe es hin und wieder zusammengezogen und das, was zur Geographie oder zur Historie dieses Landes gehöret, mit Fleiß übergangen, weil ich keine Reisebeschreibung machen wollen. Es hat sich auch seit der Zeit in diesem Reiche vieles verändert, besonders seit der Erbauung der Stadt Petersburg und den großen Anstalten Peters des Ersten, die sowohl in die Natur des Landes als in die Gemütsart der Einwohner einen großen Einfluß gehabt haben.

Ich eile nunmehr zu dem letzten Periode dieser Geschichte, nämlich zu dem, was nach der Rückkunft meines Gemahls erfolgt ist. Wir lebten in unserer zweiten Ehe, wenn ich so reden darf, vollkommen zufrieden, und mein Gemahl schmeckte auf sein erlittenes Ungemach die Freuden der Liebe und der Ruhe gedoppelt. Er blühte in meinen Armen wieder auf und bekam die erste Lebhaftigkeit wieder, von der ihm das Unglück einen großen Teil entzogen hatte. Die ersten Monate verstrichen uns in der Gesellschaft der Caroline[62] und des Herrn R** meistens unter wechselseitigen Erzählungen. Nichts war kläglicher, als da ich ihm einsmals meine Heirat und die Geschichte meiner Ehe mit dem Herrn R**, und zwar in dem Beisein desselben, umständlich erzählen sollte. Der Graf hatte mich die ganze Zeit über bei der Hand, als wollte er mir einen Mut einsprechen. Ich fing die Erzählung mit vieler Dreistigkeit an. Ich war von der Liebe meines Grafen völlig überzeugt; ich wußte, daß ich ihm niemals untreu geworden sein würde, wenn ich nur die geringste Nachricht von seinem Leben gehabt hätte. Allein alles dieses langte nicht zu, mich in meiner Erzählung zu unterstützen. Ich wollte aufrichtig und doch auch behutsam sprechen; und je mehr ich redete, desto mehr fühlte ich, wieviel Beleidigendes diese Geschichte für den Grafen in sich hatte und wieviel Kränkendes für mich und für den Herrn R**. Ich ward verzagt. Der Graf gab mir die teuersten Versicherungen, daß er durch nichts beleidigt würde, allein ich kam nicht weiter als bis auf die Geburt meiner Tochter. Ich sammelte alle meine Kräfte; ich fing zehnmal wieder an;

doch mein ganzes Herz weigerte sich, mich fortfahren zu lassen; ich schwieg. Nun sprach der Graf mit einer liebreichen Miene: »Diese kleine Marter, die ich Euch itzt gemacht habe, das soll die Strafe für Eure Untreue sein« und umarmte mich. »Und Ihr, mein lieber R**«, fuhr er fort, »schlagt Eure Augen immer wieder auf, und seht zu Eurer Strafe Eure vorige Gemahlin in meinen Armen.« Er küßte ihn, und ich mußte es auch tun. »Nein«, sprach er, »sie hat Euch geliebt, und Ihr habt es verdient, und wenn ich sterbe, so liebt sie Euch wieder. Wir haben uns alle kein Vergehn, sondern nur das Unglück vorzuwerfen. Caroline[62]«, (sie saß bei mir) »seht nur, wie Euch meine Gemahlin betrachtet. Kann sie sich wohl besser an mir rächen als durch Eure Gegenwart?«

Ich war unermüdet, dem Grafen alle die Augenblicke zu ersetzen, die er ohne mich zugebracht. Ich kam selten von seiner Seite und sann bei jeder Gefälligkeit, die ich ihm erweisen konnte, schon auf eine neue. Wenn wir unser Herz ausgeredet hatten, so las ich ihm etwas vor, und wenn ich nicht mehr lesen konnte, so tat er's. Diese glückliche Beschäftigung mit dem Geiste der besten Skribenten, die der Graf so lange entbehrt hatte, nahm uns den größten Teil des Tages weg und breitete ihr Vergnügen über unsere Gespräche, über unsere Mahlzeiten und über alle unsere Zärtlichkeiten aus. Wir hielten keine Gesellschaften und fühlten doch nie die Beschwerlichkeit der Langenweile. Wenn wir mitten in unsern Vergnügungen recht empfindlich gerührt sein wollten, so dachten wir unserm Schicksale nach. Diejenigen, die niemals unter großen Unglücksfällen geseufzt haben, wissen gar nicht, was für eine Wollust in diesen Betrachtungen zu finden ist. Man entkleidet sich in solchen Augenblicken von allem seinen natürlichen Stolze; man sieht, indem man sein Schicksal durchschaut, sein Unvermögen, sich selber glücklich zu machen, und überläßt sich den Entzückungen der Dankbarkeit, die uns nicht länger wollen nachdenken lassen. Der Graf setzte zuweilen ganze Tage zu dieser Absicht aus und wandte sie zu Werken der Guttätigkeit an. Er erkundigte sich nach elenden und unglücklichen Personen; mit einem Worte, Arme, Kranke und Gefangne an diesem Tage zu erquicken und aufrichten zu lassen, das war seine Zufriedenheit. Oft ließ er auch einige von denen, die schon unter dem Elende grau geworden waren, zu sich rufen und sie an einem Tische zusammen speisen. Es war ihm freilich lieb, wenn er wußte, daß es Leute waren, welche die Guttat verdienten; allein er stellte deswegen nicht die strengsten Untersuchungen an. »Vielleicht«, sprach er, »lassen sie sich durch die Wohltaten bessern, wenn sie boshaft gewesen sind; laßt sie auch der Wohltat unwert sein, sie sind doch Menschen.« Wenn er hörte, daß sie mit dem Essen bald fertig waren, so ging er zu ihnen und ließ sich ihr Schicksal erzählen. Fand er eine Person darunter, die ein edles Herz hatte, so nahm er sich ihrer insbesondre an. R** war sein Gehülfe in dieser Tugend, und wem sie beide nicht als Wohltäter dienen konnten, dem dienten sie doch als vernünftige Ratgeber. Wir fuhren gemeiniglich an diesen Tagen etliche Stunden in die Felder oder in die Gärten spazieren. Einmal hörten wir des Abends, indem wir bei dem Mondscheine durch die Wiesen gingen und den Wagen am Wege halten ließen, ein jämmerliches Gewinsel. Wir näherten uns ungeacht des tiefen Grases dem Orte, wo der Schall herkam, und fanden eine junge Weibsperson, welche die Schmerzen der Geburt kaum überstanden hatte und in einem hülflosen Zustande dalag. Herr R**, der bei uns war, fuhr den Augenblick in das nächste Landhaus, um ein Weib und andre Bedürfnisse für die Geburt herbeizuholen, und ich machte mich indessen um diese Unglückliche so gut verdient, als es die Notwendigkeit erfoderte. Ich konnte aus ihrem Anzuge schließen, daß sie keine der Vornehmsten und keine der Geringsten war; und ihre Jugend und ihre gute Bildung war genug, uns einen Teil von ihrem Schicksale zu erklären, weil sie selbst nichts als etliche unvernehmliche

Worte hervorbringen konnte. Herr R** kam mit einigen Weibern zurück, und wir ließen die unbekannte Elende auf unserm Wagen in das nächste Dorf bringen und kehrten zu Fuße in die Stadt. »Nun«, sprach der Graf, indem wir zurückgingen, »dieser Spaziergang ist viel wert. Wie schön wird sich's in den Gedanken einschlafen lassen, daß wir zwoen Personen das Leben auf einmal erhalten haben! Das arme Mädchen ist vermutlich aus Furcht der Schande von ihrem Geburtsorte geflüchtet. Wer weiß, welcher Betrüger sie unter dem Versprechen der Ehe um ihre Unschuld gebracht hat.« Ich fuhr mit anbrechendem Tage nebst Carolinen auf das Dorf, und wir fanden die Unglückliche mit ihrem Kinde auf den Armen in Tränen zerfließen. Sie war nicht allein wohlgebildet, sie war ausnehmend schön, und eine gewisse schamhafte Miene entschuldigte ihren Fehler zum voraus. »Die Liebe«, sprach sie, »oder vielmehr ein Liebhaber hat mich unglücklicher gemacht, als ich zu sein verdiene. Ich habe mich mit ihm seit zwei Jahren versprochen; allein ein bejahrter Vormund, unter dem ich stehe und der mir sein eigen Herz aufdringen wollte, hat unsre Verbindung verhindert. Mein Bräutigam, eines Pachters Sohn bei Leiden, hat mich mit meinem Willen entführt und mir versprochen, sich im Haag mit mir niederzulassen und die Handlung zu treiben. Als wir gestern morgen in die Gegend kamen, wo Ihr mich angetroffen, sah ich mich durch eine Unpäßlichkeit genötigt, vom Wagen abzusteigen. Mein bis dahin getreuer Liebhaber führte mich in dem Felde herum, um mich durch die Bewegung wieder zu mir selber zu bringen. Ich mußte mich endlich niedersetzen, und sobald er sah, was mir für ein Schicksal bevorstund, verließ mich der Boshafte unter dem Vorwande, mir jemanden zu Hülfe zu rufen. Ich habe also den ganzen Tag auf seine Zurückkunft vergebens gewartet und bin mehr durch das Entsetzen über seine Untreue als durch die unglückliche Frucht meiner Liebe in den sinnlosen Zustand gekommen, in dem Ihr Euch gestern meiner so großmütig angenommen. Man kann keine größre Bosheit begehn, als er an mir begangen hat. Er hat mir mein Geschmeide, das mein ganzer Reichtum war und das wir im Haag zu Gelde machen wollten, mitgenommen. Dennoch hasse ich ihn noch nicht, ja ich würde es ihm mit Freuden vergeben, daß er mich mit der Gefahr meines Lebens verlassen hat, wenn ich nur wüßte, daß es ihn reute – –.« Ich suchte sie zu beruhigen und versprach ihr, wenn ihr Liebhaber binnen acht Tagen nicht wiederkäme, sie zu mir zu nehmen und sie und ihr Kind zu versorgen. Er kam nicht, und ich erfüllte mein Wort und ließ das Kind auf dem Dorfe erziehn.

Der Graf war nunmehr ein halb Jahr lang bei mir und hatte nicht das geringste Verlangen, in sein Vaterland zurückzukehren, wenn ihm auch die Erlaubnis dazu wäre angeboten worden. Über dieses wußte er, daß der Prinz, dem er sein Unglück zu danken hatte, noch lebte und bei dem Könige in dem größten Ansehen stund; und was brauchte er mehr, als dieses zu wissen, um an keine Rückkehr zu denken? Aber daß Steeley nicht kam und daß er auf alle seine Briefe an ihn noch nicht die geringste Antwort erhalten, dieses beunruhigte ihn desto mehr. Von Steeleys Vater hatte er zwar aus London schon vor etlichen Monaten die Nachricht bekommen, daß sein Sohn durch die Bemühungen des englischen Gesandten und durch ein Strafgeld von etlichen tausend Talern seiner Verweisung nach Sibirien erlassen worden wäre, von ihm selbst aber hätten er und seine Landsleute in Moskau keine Briefe. Indessen daß der Graf vergebens auf Steeleyn hoffte, begegnete ihm ein andrer vergnügter Zufall. Er war eine Stunde vor der Mahlzeit, wie er zu tun pflegte, mit dem Herrn R** auf das Kaffeehaus gegangen, wo die meisten Fremden einzusprechen pflegten. Kurz darauf ließ er mir sagen, er würde mir einen Gast mitbringen, für den ich ein Zimmer zurechte machen lassen sollte. Er kam, und der Gast war der ehrliche Jude, der ihm in Sibirien so viele Menschenliebe erwiesen und den seine Geschäfte nach Holland zu gehn genötigt hatten. Mein Gemahl war außerordentlich erfreut, daß er diesem wackern Manne einige Gefälligkeiten erzeigen konnte, und er selbst war ebenso froh, daß er meinen Gemahl so unvermutet und so glücklich angetroffen. Er überreichte mir den Brief aus Sibirien, den ich schon eingerückt habe, und versicherte mich, daß er sich in Livland und Dänemark sehr sorgfältig nach mir erkundigt und doch nicht das geringste von meinem Aufenthalte hätte erfahren können. Sein Herz war wirklich seiner ehrlichen und einfältigen Miene gleich, und seine Sitten gefielen durch sein Herz. Er war schon bei Jahren, und sein grauer Bart und sein langer polnischer Pelz gaben ihm ein recht ehrwürdiges Ansehn. Die freundschaftliche Art, mit der wir mit ihm umgingen und ihm unsere Erkenntlichkeit zu bezeichnen suchten, rührte ihn ausnehmend. Als wir das erstemal von der Tafel aufstunden, so ward der gute Mann ganz betrübt. Mein Gemahl fragte ihn um die Ursache. »Ach«, sprach der Alte, »wenn ich nur so glücklich sein könnte, noch etliche Stunden bei Ihnen zu bleiben! Ich habe mein Tage kein solch Vergnügen gehabt, und niemand ist noch so großmütig mit mir umgegangen, als Sie tun.« Der Graf nahm ihn bei der Hand und führte ihn in das Zimmer, das für ihn zubereitet war. »Seht Ihr«, sprach er, »meine Gemahlin gibt Euch ihr bestes Zimmer ein. Glaubt Ihr nun wohl, daß Ihr uns angenehm seid? Ihr dürft nicht daran denken, uns unter acht Tagen zu verlassen. Nicht wahr, ich wohne hier besser als in Sibirien? Dort habt Ihr mich bedienet, und hier wollen ich und meine Gemahlin Euch bedienen.« Wir taten es, und wir alle, Caroline sowohl als R**, bestrebten uns recht, diese acht Tage unserm Gaste zu Tagen des Vergnügens zu machen. Wenn die Sonne unterging, schlich er sich in sein Zimmer und blieb meistens eine halbe Stunde aus. Wir fragten ihn, als dieses etlichemal geschah, um die Ursache, und er wandte allerhand kleine Verrichtungen vor, bis ihn endlich Herr

R** einmal überraschte und auf den Knien betend fand. Als diese acht Tage unter tausend kleinen Vergnügungen verstrichen waren, so bat er uns, unsere Wohltaten einzuschränken und ihn wieder fortreisen zu lassen. Er verließ uns einen Tag, um seine Geschäfte zu besorgen, und kam den andern wieder, um Abschied von uns zu nehmen. »Nun«, sprach er, »will ich mit Freuden fortreisen, Herr Graf, und Gott auf meiner Reise danken, daß ich Sie angetroffen habe. Ich bin alt, und ich werde Sie alle in dieser Welt wohl nicht wiedersehn. Ich habe keine Kinder, und wenn ich nicht bei meinem Weibe sterben wollte, so würde ich mich auf meine alten Tage hier niederlassen.« Wir nahmen alle als von einem Vater Abschied von ihm. »Ach, Herr Graf«, fing er endlich ganz furchtsam an, »Sie haben mich für meine Dienste reichlich belohnt; aber ich bin gegen Sie noch[63] nicht dankbar genug gewesen, daß Sie mir das Leben mit Ihrer eignen Gefahr[64] erhalten haben. Sie wissen, daß ich mehr Vermögen habe, als ich und meine Frau bedürfen. Ich habe hier in der Bank ein Kapital von zehntausend Talern zu heben. Erlauben Sie mir die Freude, daß ich's Ihrer kleinen Tochter schenken darf, und nehmen Sie den Schein von mir an.« Wir versicherten ihn, daß unsere Umstände so beschaffen wären, daß wir nicht Ursache hätten, ihm einen Teil von seinem Vermögen zu entziehn; allein er beklagte sich, daß wir seine Gutwilligkeit verachten wollten, und zwang uns, das Geschenk anzunehmen. Er ging darauf zu unsrer Tochter und knüpfte ihr noch ein sehr kostbares Halsband um den Hals. Er beschenkte auch das unglückliche Mädchen, das ich zu mir genommen hatte, sehr reichlich und eilte alsdenn, was er konnte, um sich seinen Abschied nicht noch saurer zu machen. Der rechtschaffne Mann! Vielleicht würden viele von diesem Volke beßre Herzen haben, wenn wir sie nicht durch Verachtung und listige Gewalttätigkeiten niederträchtig und betrügerisch in ihren Handlungen machten und sie nicht oft durch unsere Aufführung nötigten, unsere Religion zu hassen. R** begleitete den Alten etliche Meilen und konnte gar nicht aufhören, seinen uneigennützigen und großen Charakter zu bewundern. Unter allen Merkmalen der Freundschaft, die wir ihm erwiesen, rührte ihn nichts so sehr als dieses, daß ihn der Graf abmalen und das Bild in seine Studierstube setzen ließ.

Auf diese Freude folgte in einigen Wochen noch eine größere und ebenso unvermutete. Andreas, Carolinens Bruder, war gewohnt, alle Jahre seinen Geburtstag zu feiern. Er kam einstens sehr frühe zu uns und sagte, weil er genötiget wäre, auf etliche Wochen zu verreisen, und weil sein Geburtstag morgen einfiele, so wollte er ihn heute feiern und uns bitten, uns gleich mit ihm auf eine Gondel zu setzen und einmal einen ganzen Tag in seinem Hause zuzubringen. Wir ließen es uns gefallen, und weil wir bei dem Tee gleich mit dem Briefe beschäftigt gewesen waren, den mir der Graf durch den Juden aus Sibirien geschickt, so baten wir den Andreas, uns nur so lange Zeit zu lassen, bis ich diesen Brief vollends laut hergelesen und der Graf uns das, was wir noch umständlicher wissen wollten, erzählt hätte; denn Caroline und R** saßen bei uns. »Ach«, schrie er ganz ängstlich, »das könnt Ihr in meinem Hause auch tun; nehmt den Brief mit und verderbt mir meine Freude nicht, oder ich reise gleich heute fort und traktiere Euch gar nicht.« Dieses treuherzige Kompliment nötigte uns, ihm gleich zu folgen. Alles war in seinem Hause wider seine Gewohnheit aufgeputzt, und wir konnten uns in seine großen Anstalten gar nicht finden. »Ich weiß nicht«, sprach Caroline, »was ich von meinem Bruder denken soll. Wenn nur nicht etwa aus diesem Geburtstage ein Hochzeittag wird. Er tut mir zu froh und zu geheimnisvoll.« Wir scherzten mit ihm darüber, als er uns den Tee auftrug, und er lachte auf eine Art, als ob er es gern sähe, daß wir seine kleine List errieten. »Leset nur Euren Brief vollends durch«, fing er an, »ich will indessen meine Braut holen oder wenigstens meinen Flaschenkeller zurechte machen.« Er ging in das Nebenzimmer, und wir vertieften uns wieder in den Brief. Ich fragte nach tausend Kleinigkeiten, welche die Gemahlin des Gouverneurs angingen, deren Brief an ihre Stiefschwester nach Kurland mein Gemahl wieder zurückbekommen hatte, weil sie tot war. R** wollte immer mehr von der bewunderlichen Gemütsart des Gouverneurs wissen, und Caroline blieb bei aller Gelegenheit bei Steeleyn stehn. Andreas trat aus der Nebenstube wieder herein, als wollte er uns zuhören. »Habe ich ihn Euch denn noch nicht genug beschrieben?« sagte mein Gemahl zu Carolinen. »Habt Ihr Euch denn gar in ihn verliebt? Freilich sah er vorteilhaft aus, sonst würde ihm das kosakische Mädchen nicht so gut gewesen sein. Er hatte große schwarze Augen wie Ihr und – –« Indem öffnete Andreas, der nah an der Türe stund, das Nebenzimmer und rief, nach seinen Gedanken, ganz sinnreich: »Sah er etwan wie dieser Herr aus?« Und in dem Augenblicke stund Steeley vor uns. Der Graf zitterte, daß er kaum von dem Sessel aufstehen konnte, und wir sahen ihren Umarmungen mit einem freudigen Schauer lange zu. »Nun«, schrie endlich Steeley, »nun sind wir für alle unser Elend belohnet« und riß sich von dem Grafen los, und ich eilte ihm mit offnen Armen entgegen. »Ach, Madame«, fing er an, »ich – – ich – – ja, ja, Sie sind es – –«, und das war sein ganzes Kompliment. Der Graf kam auf uns zu, und wir umarmten uns alle drei zugleich. Oh, was ist das Vergnügen der Freundschaft für eine Wollust, und wie wallen empfindliche Herzen einander in so glücklichen Augenblicken entgegen! Man sieht einander schweigend an, und die Seele ist doch nie beredter als bei einem solchen Stillschweigen. Sie sagt in einem Blicke, in einem Kusse ganze Reihen von Empfindungen und Gedanken auf einmal, ohne sie zu verwirren. Caroline und der Herr R** teilten ihre Freude mit der unsrigen, und wir traten alle viere um Steeleyn und waren alle ein Freund. Dem Andreas mochte unsre Bewillkommnung zu lange dauern; er zog mich und Carolinen beiseite. »Ihr Leute«, sprach er ganz bestrafend, »vergeßt doch nicht, daß Ihr Frauenzimmer seid und –. Setzt Euch alle nieder, sonst muß ich den ganzen Tag Euern Umarmungen zusehen. Tut es, wenn ich nicht dabei bin. Wir wollen heute lustig und nicht so niedergeschlagen sein.« Und damit mußten wir uns niedersetzen. »Herr Graf«, fuhr er darauf fort, »habe ich's nicht listig gemacht?« Wir merkten, daß er für seine Erfindung belohnt sein wollte, und er war es wert, daß wir ihm unser eigen Vergnügen etliche Minuten aufopferten. Mein Gemahl hatte schon zehn Fragen an Steeleyn getan; allein Andreas ließ ihn zu keiner Erzählung kommen. »Seid doch zufrieden«, sprach er, »daß Ihr ihn habt und daß ich ihn Euch geschafft habe. Ihr sollt ihn auf den Abend mit zu Euch nehmen, alsdann könnt Ihr miteinander reden bis wieder auf meinen Geburtstag. Itzt will ich das Vergnügen haben, daß Ihr bei mir recht aufgeräumt sein und recht laut werden sollt.« Wir wünschten unstreitig alle, von unserm gebietrischen und uns so unähnlichen Wirte bald entfernt zu sein; allein wir mußten uns ihm aus Dankbarkeit preisgeben, und Steeley schien selbst itzt keine Lust zu haben, uns seine Begebenheiten zu erzählen, außer daß er den Tod des Gouverneurs etlichemal erwähnte. »Und von seiner Gemahlin«, fuhr er zum Grafen fort, »habe ich einen Brief an Euch. Die großmütige Seele! Ich will Euch den Brief aus meinem Koffer langen.« Er ging und Andreas mit ihm. Wir waren es zufrieden, daß uns Steeley einige Augenblicke verließ, nur damit wir das Verlangen befriedigen konnten, einander unsere Lobsprüche von ihm mitzuteilen. »Ist er meiner Liebe wert«, sprach der Graf zu mir, »und gefällt er Euch?« Caroline ließ mich nicht zum Worte kommen. »Herr Graf«, rief sie, »Ihre Gemahlin kann nicht urteilen, sie ist nur von Ihnen eingenommen. Fragen Sie doch mich, ich will's Ihnen aufrichtig sagen, ich und das Mädchen in Sibirien, wir – –.« Hier trat Steeley mit einem Frauenzimmer an der Hand herein, aus deren Gesichte Anmut und Freude lachten. Sie ging in Amazonenkleidern, und jeder Zug in ihrer Bildung war ein Abdruck der Gefälligkeit und der Liebe. »Ach Gott!« rief der Graf, »wen sehe ich? Ist es möglich, Madame, oder betrügen mich meine Augen? Das ist zuviel Glück auf einen Tag!« »Madame«, redte mich Steeley an, indem ich noch vor Erstaunen immer auf einer Stelle stund, »hier bringe ich Ihnen meine liebe Reisegefährtin und bitte für sie um Ihre Freundschaft.« Ich wußte noch nicht, wen ich umarmte, oder wollte es doch nicht so bald wissen, um mein Vergnügen zu verlängern. Sie selbst schien mich aus ebender Ursache in der Ungewißheit zu lassen. »Glaubt es doch«, rief mir endlich mein Gemahl zu, »sie ist es, der ich meine Befreiung zu danken habe; sie hat mich Euch wiedergegeben.« »Ja, Madame«, fing sie an, »für diesen Dienst suche ich itzt die Belohnung bei Ihnen, und ich bitte nicht um Ihre Freundschaft, sondern ich fodere sie von Ihnen. Ist es Ihnen denn recht lieb, daß Sie mich sehn? Ja, ich sehe es, Sie fühlen ebensoviel als ich, daß ich Sie nunmehr kenne. Ach, Herr Graf, also sind wir nicht mehr in Sibirien? Wieviel habe ich Ihnen zu erzählen! Ihr Freund, den Sie mir hinterlassen haben, hat mir viel zuwider getan« (hier sah sie Steeleyn mit dem zärtlichsten Blicke an) »und – –, er mag es Ihnen selber sagen. Aber«, fing sie ganz sacht zu meinem Gemahle an, »wer ist das Frauenzimmer und der Herr?« (sie meinte Carolinen und R**.) Der Graf erschrak und wußte nicht, was er in der Eil sagen sollte. »Sie sind – –, sie sind unsre Freunde und auch die Ihrigen.« Ich nahm darauf Carolinen bei der Hand und führte sie zu ihr, und der Graf tat mit R** ebendas. Wir glaubten, daß Andreas das Geheimnis vor unserer Zu-

3 *Amazonenkleid:* »Eine in den neueren Zeiten aufgekommene Frauenzimmertracht, welche diesen Namen deswegen bekommen hat, weil sie der männlichen Tracht gleichet und dem schönen Geschlechte ein männliches Ansehen gibt« (Adelung I, 245).

sammenkunft schon verraten hätte; denn die Verschwiegenheit war seine Sache nicht. Allein er hatte, entweder um uns zu schonen, oder weil er nicht daran gedacht hatte, geschwiegen. Er hatte nicht die Geduld gehabt, unsere Bewillkommung ganz anzuhören. Itzt kam er wieder herein und half uns zum Teil aus unsrer Verwirrung. »Das ist«, fing er zu der Fremden an, »das ist meine liebe Schwester.« In dem Augenblicke ging R** mit niedergeschlagenen Augen aus der Stube, weil er glaubte, daß Andreas auch von ihm anfangen würde. »Geht nicht«, rief ihm dieser nach, »ich will nichts sagen. Der Herr Graf wird es schon selbst erzählen.« »Ach, mein lieber Graf«, sprach Steeley, »was ist das für ein Geheimnis? Darf ich's und die Madame nicht wissen? Wer ist der[65] Herr R**?« »Er ist einer von meinen ältsten Freunden, und wenn ich Ihnen alles sagen soll – –«, hier sahe er mich an und schwieg. »Er war mein Gemahl«, sprach ich zu meiner neuen Freundin, »ehe ich wußte, daß mein Graf noch lebte. Sie hassen mich doch deswegen nicht? Nein, Madame, ich verdiene Ihr Mitleiden, und mein Graf – –.« »Dieser liebt Euch«, fuhr er fort, »ebenso zärtlich als jemals.« Sie sah mich beschämt und eilte, mir durch eine mitleidige Umarmung diese traurigen Augenblicke zu verkürzen. Steeley schien wirklich bei dieser Nachricht etwas von seiner Hochachtung gegen mich zu verlieren. Er sah bald mich, bald den Grafen an. »Ist sie denn nicht mehr Eure Gemahlin?« sprach er ganz heftig. »Sie ist meine Gemahlin«, antwortete ihm der Graf, »beunruhigt Euch nicht. Ich weiß, daß Ihr mich liebt, und mir hat zu meinem Glücke nichts als der heutige Tag gefehlt.« Hierauf ging unsere Freude wie von neuem an.

Unser stürmischer Wirt nötigte uns alsbald zur Mahlzeit. Ein jedes Wort von uns war eine Liebkosung, und anstatt zu essen, sahen wir einander an. »Madame«, fing endlich Steeley zu mir an, »Ihre Augen fragen mich alle Augenblicke etwas. Beneiden Sie mich etwan wegen meiner liebenswürdigen Reisegefährtin? Oder wollen Sie wissen, warum sie nach Holland gegangen ist? Sie will die Juwelen wiederholen, die sie dem Herrn Grafen in Sibirien gegeben hat. Wir erfuhren in Moskau, daß wir ihn hier finden würden, und sie wird so lange bei Ihnen bleiben, bis sie ersetzt sind.« »Ja«, sprach ich, »wir sind dazu verbunden; aber warum nehmen Sie sich der Madame so eifrig an? Erfodert dieses die Pflicht der Reisegesellschaft?« »Sie hören wohl«, versetzte sie, »daß er das Geheimnis meiner Reise gern entdeckt wissen will. Ich soll Ihnen sagen, daß ich ihn liebe und daß ich ihn aus Liebe hieher begleitet habe. Er verdient und besitzt mein Herz, und ihm meine Hand zu geben, habe ich bloß auf Ihre Gegenwart versparet.« Steeley stund auf und umarmte sie. »Also sind Sie meine Braut?« rief er. »Ja«, sagte sie, »und um es zu werden, würde ich noch eine See durchreisen. Und Ihnen, mein lieber Herr Graf, Ihnen bin ich mein Glück schuldig, denn ohne Sie würde ich meinen Geliebten nie haben kennenlernen. Sie haben mir ihn in Ihrem ersten Gespräche mit mir so edel beschrieben, daß ich ihm gewogen war, ehe ich ihn sah. Die Vorsehung hat mir mein Unglück durch ihn belohnt, und ich will das seinige durch meine Liebe belohnen. Ich bleibe bei Ihnen; und Sie, Madame, sollen das Recht haben, unsere Verbindung zu vollziehn und einen Tag zu unsrer Vermählung anzusetzen, welchen Sie wollen. Ich will meinen künftigen Gemahl von Ihren Händen empfangen.« »Und ich«, sprach der Graf, »meine Gemahlin von den Ihrigen. Ich will mir sie, da ich die zweite Ehe mit ihr angefangen habe, auch noch einmal vermählen lassen, und dieses soll an dem Tage geschehn, da Sie Ihre Verbindung vollziehn.« Amalie, so hieß Steeleys Braut, ließ darauf einen Pokal und einen Flaschenkellerwein aus ihrem Zimmer langen. »Kennen Sie das Glas, Herr Graf? Daraus habe ich Ihnen in Sibi-

34 *Flaschenkellerwein:* Gegenteil von Faßwein (Adelung II, 187).

rien die Gesundheit Ihrer Gemahlin zugetrunken. Und aus ebendiesem Glase und von dem Weine, der nicht weit von diesem Lande gewachsen ist, wollen wir sie zum andern Male in Holland trinken. Oh, wie gut wird mir's
5 schmecken!« Sie trank und reichte mir's. Ich sah das Glas und den Wein an und sah meinen Gemahl zugleich in Sibirien und in den unglücklichsten Umständen von einer großmütigen Seele bedauert und geschützt; ich sah sie an und trank, und Tränen fielen in den Wein. Kein
10 Wein hat mir in meinem Leben so gut geschmeckt als dieser. Wir schwiegen vor Vergnügen alle still, bis Andreas endlich unser Stillschweigen unterbrach. »Aber Madame«, fing er lachend an, »wie sah denn der Herr Graf damals aus, da er als ein Gefangner vor Ihnen
15 stund? Sah er vornehm oder nicht? Sah er traurig?« »Seine Miene«, sprach sie, »richtete sich nach der Art, mit der ich mit ihm redete. Wenn ich ihn recht freundschaftlich bedauerte, so sah er mich zur Dankbarkeit sehr demütig an; und wenn ich einen Augenblick unempfind-
20 lich gegen sein Elend schien, so warf er mir mein kaltes Herz mit einer stolzen Miene vor, die mich leicht erraten ließ, daß er aus Unschuld unglücklich und im Elende auch noch groß gesinnt war. Aber wie war er gekleidet? Schlechter, als ich wünschte. Ein deutsches Unterkleid,
25 sehr abgenutzt, und ein schwarzer russischer Pelz und ein Paar Halbstiefeln waren sein Staat. Sein kurzes aufgelaufnes Haar gab indessen seinem Gesichte bis auf etliche Spuren von Kummer, die aus seinen Augen nicht vertrieben werden konnten, ein unerschrocknes Ansehn.
30 Nie war er beredter und in meinen Augen größer, als da er von seiner Gemahlin sprach; und ich tat von diesem Augenblicke an heimlich ein Gelübde, ihm die Freiheit auszuwirken.« »Aber Ihr verstorbner Gemahl und der Herr Graf«, sprach Andreas, »waren wohl nicht allezeit
35 die besten Freunde?« »Was dieser getan hat, das bitte ich dem Grafen itzt ab. Ach, vergeben Sie ihm die Fehler seiner Gemütsart und seines Volkes, die ich ungeachtet

seiner Neigung gegen mich mehr als Sie empfunden habe. Unsre Ehe war ein Bündnis, das der Hof schloß und das ich aus Gehorsam nicht ausschlagen durfte. Indessen ehre ich sein Andenken, so wie ich mein Schicksal an seiner Seite geduldig ertragen und mir, wenn ich's sagen darf, vielleicht durch meine Geduld ein bessers verdient habe.«

Andreas ward zu unserm Glücke durch seine Geschäfte von uns gerufen, und seine Abwesenheit ließ uns vertraulicher werden. Steeley wollte dem Grafen erzählen, was seit seiner Abreise aus Tobolskoy vorgegangen; allein er stund alle Augenblicke vor gar zu großer Empfindung still, und wir waren zufrieden, daß wir dieses Mal das Wichtigste von dem erfuhren, was uns Amalie nachdem umständlicher auf folgende Art erzählet hat.

»Wenig Tage nach des Herrn Grafen seiner Abreise«, fing sie auf unser Bitten an, »starb mein Gemahl an dem zurückgetretenen Podagra. Ich berichtete seinen Tod nach Hofe und bat zugleich um die Erlaubnis, nach Moskau zurückzukehren. Die Gewalt, die ich bis zur Ernennung eines neuen Gouverneurs in den Händen hatte, gab mir Gelegenheit, verschiedne harte Verordnungen aufzuheben, die mein Gemahl in Ansehung der Gefangnen ergehn lassen. Ihrem zurückgelassenen Freunde, Herr Graf, konnte ich mehr Bequemlichkeiten verschaffen. Ich befahl dem Juden, ihn mit allem zu versorgen, was er nötig hätte, und ließ ihn mutmaßen, als ob er ein Anverwandter von mir wäre. Damals waren meine Wohltaten wohl bloße Wirkungen des Mitleidens. Ich hatte ihn nicht mehr als einmal und noch dazu in den traurigsten Umständen gesehn, als er auf Ihre Fürbitte durch meinen Gemahl nach Tobolskoy zurückberufen ward. Ich hörte es gern, wenn mir der Jude seine Danksagung für meine Vorsorge überbrachte, und was ich nicht wohl durch Befehle ausrichten konnte, das mußte der Jude durch das Geld, das ich ihm gab, bei den Unteraufsehern zu bewerkstelligen suchen. Er war in ein besser Behältnis gebracht, und ich hatte schon allerhand Mittel ausgesonnen, wie ich ihm bei meiner Zurückreise nach Moskau diese erträglichen Umstände dauerhaft machen wollte. Ungefähr nach vier Wochen kam ein Befehl an meinen verstorbnen Gemahl, daß Steeley frei sein und bei der ersten Gelegenheit, die man ihm verschaffen könnte, mit einem Passe versehn und für sein Geld fortgebracht werden sollte. Ich ließ den Morgen darauf den Juden zu mir kommen und sagte ihm, daß er Steeleyn eiligst zu mir bringen sollte und daß ich unter der Zeit, da er ihm dieses meldete, die Wache nachschicken wollte, ihn abzuholen. Er kam, und ich ließ ihn nebst dem Juden zu mir ins Zimmer treten. Er stattete mir die Danksagung für meine bisherige Vorsorge auf eine sehr ehrerbietige und gefällige Weise ab und blieb an der Türe des Zimmers stehn. Ich fragte ihn, ob er keine Nachricht von dem Grafen hätte, ob er mit seinen Umständen zufrieden wäre. Er beantwortete das erste mit einem traurigen Nein und das andere mit einem gelaßnen Ja. Ich bat ihn, mir eine kurze Erzählung von seinem Schicksale zu machen. Er tat es, und je mehr er redte, desto mehr nötigte er mir durch seine Worte und durch seine Mienen Aufmerksamkeit und Hochachtung ab. Er sah weit besser aus als vor zwei Jahren, und ich weiß nicht, ob ich mir's beredte oder ob es wahr war, daß ihm der sibirische Pelz recht schön ließ. Ich hörte aus seiner Art zu reden nunmehr sehr wohl, daß er ein edelmütiges Herz hatte; und wenn ich ja noch einige Augenblicke daran gezweifelt hatte, so war es vielleicht deswegen geschehn, weil ich bei meinem Zweifel gern widerlegt sein wollte. Der Graf, dachte ich, hat recht, daß er ihn so sehr liebt und so sehr für ihn gebeten hat. Er verdient Hochachtung und Mitleiden; und es ist deine Pflicht, einem so rechtschaffnen und unglücklichen Manne zu dienen. Ich merkte, je mehr er redte, daß etwas in meinem Herzen vorging; allein ich hatte keine Lust, es zu untersuchen, und ich hütete mich zugleich, mein Herz nicht zu stören. Ich nannte meine Regungen bei mir selbst Wirkungen seiner Unglücksfälle und setzte mich in Gedanken nieder und ließ ihn lange fortreden, ohne ein Wort zu sagen. Als er mir die Grausamkeit erzählte, die man in der Stadt Moskau an ihm und dem Sidne begangen, so fühlte ich weit mehr, als da sie mir der Graf erzählt hatte. Es war mir unmöglich, die Tränen zurückzuhalten, und ich wollte doch auch nicht, daß er meine Wehmut sehn sollte. Ich fragte ihn in der Angst, wie alt sein Vater wäre und wie lange er ihn nunmehr nicht gesehn hätte, nur damit ich das Wort ›der arme Mann!‹, das mir mein Herz für ihn abnötigte, nebst einigen Tränen bei seinem Vater anbringen konnte. Ich führte ihn durch ziemlich neugierige Fragen in die Umstände seiner Familie und seiner Jugend zurück. Er fing endlich an, von der traurigen Begebenheit mit seiner Braut in Engelland zu erzählen, und ich ward so gerührt, daß ich recht gewaltsam von meinem Stuhle aufsprang und ganz nah zu ihm trat; vielleicht hatte ich das letzte schon gewünscht. Er ward bei dieser Erzählung sehr weichmütig und endigte sie mit einem ›Ach Gott!‹, das mir durch die Seele ging. Er schlug die Augen nieder, und es war mir nicht anders, als ob ich sie ihm wieder öffnen sollte. Er sah mich endlich auf einmal mit einer klagenden Miene an, und ich erschrak, als ob er mir ein Verbrechen vorrückte. ›Mein Herr‹, fing ich an, ›ich will gleich weiter mit Ihnen reden.‹ Ich ging in das Nebenzimmer, um den Befehl wegen seiner Befreiung zu holen. Ich suchte ihn lange vergebens, ob er gleich vor mir lag. Ich schämte mich vor meiner Unruhe und glaubte zu meinem Troste, daß sie von den traurigen Erzählungen herstammte und daß sie durch die Freude, die Steeley über seine Erlösung haben würde, sich bald verlieren sollte. Ich sah in den Spiegel, ehe ich wieder in das andre Zimmer trat, und ich sah in jedem Blicke die Unruhe meines Herzens verraten. Ich hatte indessen bei aller meiner Unruhe noch die Geduld, etwas an meinem Kopfputze zu verbessern; und mitten in dem Verlangen, Steeleyn seine Befreiung anzukündigen, überlegte ich noch, wie seine unglückliche Braut ausgesehen hatte, und hielt ihr Bild im Spiegel gleichsam gegen das meinige. Ich bereitete mich auf eine kleine Anrede und öffnete das Zimmer und ging auf Steeleyn zu. Ich fühlte, da ich anfangen wollte zu reden, daß mir der Atem fehlte und daß ich die Worte nicht wiederfinden konnte, die ich in meinem Gedächtnisse gesammelt hatte. Ich tat also an den Juden etliche gleichgültige Fragen, bis ich mich wieder erholte. ›Ich will nicht länger ungerecht sein‹, fing ich endlich an, ›und Ihnen eine Nachricht vorenthalten, die Sie vielleicht schon lange zu hören gewünscht haben. Verstehen Sie Russisch?‹ Er antwortete mir ängstlich ›ja, ja‹ und zitterte und machte, daß ich einen kleinen Schauer fühlte. Ich setzte mich nieder und bat ihn, daß er's auch tun sollte. Er weigerte sich, und ich hielt mich für verbunden, ihm selbst einen Sessel zu reichen und mich dadurch an dem mir schon beschwerlichen Zeremoniell zu rächen. Ich las ihm den Befehl vor und sagte endlich zu ihm: ›Von dieser Stunde an haben Sie Ihre Freiheit, und ich bin sehr vergnügt, daß ich die Person habe sein sollen, die sie Ihnen erteilen muß. Sehen Sie mich nicht als Ihre Gebieterin, sondern als Ihre gute Freundin an.‹ Er sprang vom Stuhle auf und küßte mir mit einer unaussprechlichen Freude die Hand, und ich ließ ihn diese Dankbarkeit sehr oft wiederholen, als fürchtete ich, ihn zu beleidigen, wenn ich die Hand zurückezöge. Er stammelte etliche Worte vor Freuden hervor, und auch diese Sprache gefiel mir. Ich ließ den Aufsehern der Gefangenen Steeleys Befreiung gleich anzeigen und die Wache, die ihn begleitet hatte, zurückgehn. ›Ich wollte Ihnen‹, fuhr ich fort, ›gern mein Haus zum Aufenthalte anbieten, bis Sie mit einer sichern Gelegenheit nach Moskau zurückkehren können; allein meine Umstände scheinen es zu verbieten. Der Jude wird Ihnen schon eine Wohnung ausmachen. Sie dürfen um nichts bekümmert sein, solange ich noch hier bin.‹ Er nahm Abschied, und ich sah in seinen Augen, daß er mir weit mehr zu sagen hatte, als er sagte, und ich kränkte mich, daß der Jude zugegen war. Diesem befahl ich, daß er nach der Tafel wieder zu mir kommen sollte. Also war dieser erste Besuch geendiget. Ich trat an das Fenster und wollte ihm nachsehn, und ich fragte mich in dem Augenblicke, warum ich dieses täte; aber ich tat es doch. Ich setzte mich zur Tafel, und es reuete mich, daß ich ihn nicht bei mir behalten hatte. Der Jude blieb mir schon zu lange, und ich hätte es sicher genung wissen können, daß ich Steeleyn mehr als bedauerte; allein ich fand es für gut, mich zu hintergehen. Ich stellte mir vor, daß Steeley vielleicht mit einer Karawane handelnder Kaufleute durch Hülfe des Juden in wenig Tagen von hier abgehn könnte, und ich verwehrte es ihm in meinen Gedanken schon und wünschte, daß er in meiner Gesellschaft möchte zurückreisen können. Der Jude kam und versicherte mich, daß er seinen Gast sehr wohl aufgehoben und ihn in das Haus gebracht hätte, das er meinem verstorbenen Gemahle vor zwei Jahren abgekauft. Ich erschrak über diese Nachricht, als ob sie von einer Vorbedeutung wäre, und ich war zugleich mit seiner Anstalt zufrieden. Ich rief den alten deutschen Bedienten, der mir von Kurland aus nach Moskau und von Moskau nach Sibirien gefolgt war und den ich itzt noch bei mir habe, und befahl ihm, daß er mit dem Juden gehn und sehn sollte, was der Herr, der heute aus dem Arreste gekommen, in seiner Wohnung brauchte, weil er nach dem Befehle des Hofs bis zu seiner Abreise als eine Standsperson versorgt werden sollte. Er kam wieder und sagte mir, daß er bis auf das weiße Geräte und eine Matratze zum Schlafen mit den nötigsten Möbeln versehn wäre. Ich reichte ihm alles selbst, was er foderte, und zwar von jeder Art das Kostbarste, und war unwillig, daß der Bediente nicht mehr verlangte. Ich sagte ihm, daß er die Stücke genau zählen sollte, damit keines verlorenginge, und mein Herz wußte doch nicht das geringste von dieser wirtschaftlichen Sorgfalt. Ich hieß ihn noch ein Flaschenfutter Wein mitnehmen. ›Und wenn Ihr von ihm geht‹, fuhr ich fort, ›so könnt Ihr ihn in Eurem Namen fragen, ob er noch etwas zu befehlen hätte.‹ Er kam nicht eher als mit dem Abend wieder. Ich fragte ihn, wo er so lange geblieben wäre. 5 ›Ach‹, hub er in seiner treuherzigen Sprache an, ›man kann von dem Herrn gar nicht wieder loskommen. Es ist ein rechter lieber Herr; alles, was er sagt, nimmt einem das Herz. Oh, wenn Sie's nur hätten hören sollen, wie er dem Himmel dankt, daß er ihn aus der Gefangenschaft 10 errettet hat! Er mag recht fromm sein, und ich weiß nicht, wie ihn der liebe Gott nach Sibirien hat führen können. Ich wollte ihn, als ich ging, auskleiden helfen. Ach, sprach er, mein lieber Christian, gebt Euch keine Mühe, ich habe mich in Sibirien selber bedienen lernen. 15 Es ging mir recht nahe. Er hat auch ein recht gutes Ansehn. Wer weiß, wie vornehm er von Geburt ist, und hat doch in diesem verwünschten Lande so viel ausstehen müssen. Wenn Sie mir's erlauben, so will ich ihn alle Tage etliche Stunden bedienen, damit es ihm wieder wohl 20 gehe. Bei Ihnen läßt er sich für alle Gnade, die Sie ihm erzeigen, ganz untertänigst bedanken und um nichts als ein Buch bitten. Es wird auf diesem Zettel stehen.‹ Dieser Zettel war ein französisches Billet von diesem Inhalte:

25 Mein Glück scheint mir nur ein Traum zu sein; und Sie überhäufen mich mit so vieler Gnade, daß ich gar nicht weiß, wie ich dankbar genug sein soll. Ich erzähle es dem Grafen und allen meinen Freunden und allen meinen Landsleuten schon in Gedanken, daß ich das großmütig- 30 ste Herz in Sibirien angetroffen habe. Ach, Madame, wodurch verdiene ich Ihre Sorgfalt? Und wodurch kann ich sie in dem Reste meines unglücklichen Lebens verdienen? durch nichts als durch Ehrerbietung – – –

Dieser kurze Brief gefiel mir sehr wohl. Ich brachte 35 einen großen Teil der Nacht mit einer geheimen Auslegung dieses Briefs zu. ›Wodurch soll ich Ihre Sorgfalt in[66] dem Reste meines unglücklichen Lebens verdienen? Durch Ehrerbietung.‹ Ich gab diesem Worte eine Bedeutung, wie sie mein Herz verlangte. Ich freute mich, da ich erwachte, daß der Tag schon da war. Ich eilte und beschloß, Steeleyn des Mittags mit mir speisen zu lassen. Ich konnte den Bedienten nicht finden. Ich vermutete, daß er bei seinem neuen Herrn sein würde, und ich hatte recht. In kurzem kam er. Ich warf ihm vor, daß er mich bald über seinem neuen Herrn vergessen würde, und schickte ihn mit zwei französischen Büchern wieder an Steeleyn und ließ ihn bitten, zu Mittage mit mir zu speisen. Ich ließ etliche wenige Gerichte nach deutscher Art zurichten und ihn zu Mittage in einem Schlitten abholen. Ich hatte mich nicht vornehm gekleidet, um ihm desto ähnlicher zu sein; doch war ich sorgfältig genug gewesen, eine gute Wahl in meinem Anzuge zu treffen. Bei dieser Mahlzeit wollte ich, so zu reden, hinter mein eigen Herz kommen und erfahren, ob meine Empfindungen mehr als Freundschaft wären. Mein Gast kam, und seine Miene war weit heitrer als die gestrige und, wie mich dünkte, weit gefälliger. Er war besser, obgleich noch russisch, gekleidet als gestern. Dankbarkeit und Ehrerbietung redten aus ihm. Ich tat, als ob meine Vorsorge für ihn eine Verordnung des Hofs wäre, und setzte mich ganz allein mit ihm zu Tische. Wir brachten über unserer kleinen Mahlzeit wohl drei Stunden zu, und es schien mir, daß sie ihm ebensokurz ward als mir. Er konnte sich noch nicht recht in das Zeremoniell, mit einer Dame und vornehm zu speisen, finden, und ich hatte das Vergnügen, ihn alle Augenblicke durch eine kleine Höflichkeit zu erschrecken; ja, ich erfreute mich, daß ich ihn in der Wohlanständigkeit übertraf, weil ich merkte, daß er mir am Geiste überlegen war. Er mußte mir seine Begebenheiten noch einmal erzählen, und sie rührten mich, als ob ich sie noch nicht gehört hätte. Wir sprachen von dem Grafen, und er bezeigte ein so großes Verlangen, ihn wiederzusehn, daß ich lieber eifersüchtig geworden wäre. Mit einem Worte, mein Gast gefiel mir nach wenig Stunden so sehr, daß ich mir alle Gewalt antun mußte, mich zu verstellen. Ich wünschte in denen Augenblicken, da uns unser Be- 5 dienter verließ, daß er mir etwas Verbindliches sagen möchte, nur um zu wissen, ob ich ihm gefiele. Allein er blieb bei der Sprache der Ehrerbietung, und seine Augen redten ebendie Sprache. Er nahm aus einer unglücklichen Höflichkeit, als wir vom Tische aufstunden, Abschied, 10 und ich hatte das Herz nicht, ihn zu bitten, daß er länger bleiben sollte, weil ich mich zu verraten glaubte. Ich ließ ihn also wieder in sein Quartier bringen. Und nun wußte ich's, ob ich ihm gewogen war. Ich war beleidigt, daß er mich schon verlassen hatte. Ich war unruhiger als zuvor, 15 und ich ward es nur mehr, je weniger ich's sein wollte. Ich stellte mir vor, daß ich ihm nicht gefiele, und kränkte mich, daß ich nicht reizend genug war, mehr als Hochachtung von ihm zu verdienen. Ich ward über dieser Vorstellung kleinmütig und rächte mich durch Gering- 20 schätzung an mir selber. Gleichwohl wollte ich nicht alle Hoffnung fahrenlassen und meine Liebe zu ihm mir auch nicht verbieten. Ich beschloß, ihn in drei Tagen wieder zu mir zu bitten. Oh, was waren das für lange Tage für mich! Der Bediente erzählte mir binnen dieser Zeit, daß 25 sein Herr in seiner Einsamkeit ganz tiefsinnig würde. Wie lieb war mir diese Nachricht! Ich war schwach genug, ihn zu fragen, ob er nichts von mir gesprochen hätte. ›Er lobt Sie über die Maßen‹, sprach er, ›und fragt mich, sooft ich komme, wie Sie sich befinden, und fragt nach 30 allen Kleinigkeiten.‹

Nach drei Tagen war er wieder auf die vorige Art mein Gast. Er kam, und die Unruhe hatte sich in alle seine Blicke verteilet. Er hatte sich durch den Juden ein Kleid nach deutscher Art machen lassen und sah noch 35 einmal so jung aus. Ja, ja, dacht ich, er ist schön, er ist liebenswert, aber nicht für dich. Ich glaubte, ich hätte alles Bange aus meinem Gesichte vertrieben, als er mich bei der Tafel um die Ursache fragte, warum er mich nicht so zufrieden sähe als das letztemal. Ich erschrak über mein verräterisches Gesicht und über die Aufmerksamkeit, mit der er mich betrachtete, und schob die Schuld darauf, daß ich die Erlaubnis noch nicht vom Hofe bekommen hätte, nach Moskau zurückzukehren. ›Aber‹, fuhr ich fort, ›was fehlet Ihnen? Die Freude über Ihre Befreiung herrscht nicht mehr in Ihrem Gesichte. Ist es das Verlangen nach Ihrem Vaterlande, das Sie beunruhiget?‹ ›Ja, Madame‹, sprach er mit niedergeschlagenen Augen. Oh, wie war mir dieses Ja angenehm, das der Ton, mit dem er's aussprach, zu einem Nein machte. ›Haben Sie vielleicht‹, fuhr ich fort, ›noch eine Braut in Ihrem Vaterland, die Sie erwartet? Warum entziehen Sie sich und mir das Vergnügen, von ihr zu sprechen? Ich gebe Ihnen mein Wort, daß ich Ihnen mit der Hälfte meines Vermögens dienen will, um Ihre Reise zu beschleunigen und Sie von[67] meiner Freundschaft zu überzeugen.‹ Er antwortete mir mit einem verschämten Blicke und sagte weiter kein Wort. Ich wollte nunmehr mein Glück oder Unglück mit einem Male wissen. ›Sie schweigen? Also haben Sie eine Braut in London?‹ ›Nein‹, rief er, ›Madame, der Himmel weiß es, daß ich seit dem Tode meiner Braut ohne Liebe gewesen bin. Wie könnte ich Ihnen etwas verschweigen? Ach, wie könnte ich dieses? Ich bitte Sie, vermindern Sie Ihre Gütigkeit gegen mich. Ich bin unruhig, daß ich sie nicht verdiene. Dies ist die wahre Ursache.‹ Nunmehr war ich zufrieden, und er hätte aus meiner plötzlichen Veränderung leicht mein Herz erraten können, allein meine Freude tat bei ihm eine entgegengesetzte Wirkung. Er ward nur trauriger, je mehr ich ruhig war. Ich redte fast allein, und ich studierte seine Augen und sein Herz aus. Er liebt dich, fing ich zu mir selbst an, und nichts als die Gesetze der Dankbarkeit und Ehrerbietung legen seiner Liebe ein Stillschweigen auf. Er ist verschämt, das wünschest du; und er wünschet, daß du ihn zu dem Fehler nötigen sollst, dir deine Liebe zu gestehen; und dieses verdient er. Ich verdoppelte meine Gefälligkeit, ohne sie über die Schranken der Freundschaft zu treiben. Mein Gemahl hatte ein kostbares Haus gebauet. Ich ließ alle Zimmer auf der Galerie einheizen und führte ihn nach der Tafel in alle, nur damit ich eine Gelegenheit hätte, ihn länger bei mir zu behalten. Als wir in das größte kamen, in welchem die Risse und Abzeichnungen von Festungen und Landschaften hingen, so fragte ich ihn, ob er nicht auch einen Teil von seiner Arbeit hier fände. Ich sah, daß er nicht auf die Abzeichnungen, sondern auf mich achtgab, und ich belohnte ihn gleich dafür. ›Ich will Ihnen Ihre Stücke zeigen‹, sprach ich; ›mein Gemahl hat mir's gesagt, daß die, unter welchen ein S. stünde, von Ihnen wären. Er mag Sie mit diesen Arbeiten wohl recht gequält haben.‹ ›Ach‹, sprach er, ›Madame, Sie könnten mich für alle meine Mühe auf einmal belohnen. Aber nein – – –.‹ Ich wußte in der Tat nicht, was er verlangte, und ich bat ihn recht inständig, daß er mir's sagen sollte. ›Wollen Sie mir's vergeben‹, rief er, ›wenn ich's Ihnen gestehe, denn es ist eine Verwegenheit.‹ ›Ja, sagen Sie's.‹ Er öffnete darauf die Türe von dem vorhergehenden Zimmer und wies auf mein Porträt. ›Madame, dieses Geschenk wollte ich mir wünschen, wenn ich Sibirien verlasse.‹ Diese Bitte war mir das Angenehmste, was ich von ihm gehöret hatte. Ich gab ihm durch die Art, mit der ich sie anhörte, das Recht, sie zu wiederholen, und er hatte schon das Herz, mich bei der Hand zu fassen und meiner Hand durch die seine ich weiß nicht was für verbindliche Dinge zu sagen. Ich begab mich geschwind mit ihm in das Tafelzimmer zurück, um gleichsam der Gewalt zu entfliehen, die er meinem Herzen antat. Er merkte seinen Sieg nicht und glaubte vielmehr, mich beleidiget zu haben. Er war von der Zeit an fast ganzer acht Tage hindurch nichts als ein Freund, der mir durch eine strenge Ehrerbietung gefallen, oder ein Gast, der durch eine dankbare Schamhaftigkeit meine Höflichkeiten, die ich ihm alle Mittage erwies, bezahlen wollte. Ich konnte mich in das Geheimnis unsrer Herzen nicht finden. Wir hatten die Erlaubnis, alle Tage miteinander umzugehn. Wir durften uns vor niemanden scheuen als vor uns selbst. Alles stund unter meinen Befehlen, und ich war denen, die um mich lebten, zu groß, als daß ich von ihnen bemerkt zu werden hätte fürchten dürfen. Demungeachtet schienen wir beide bei aller unserer Freiheit und bei unserm täglichen Umgange, anstatt daß wir vertrauter hätten werden sollen, einander nur desto fremder zu werden. Er hütete sich, mir die geringste Liebkosung zu machen, und ich nahm mich viel mehr als im Anfange in acht, ihm Gelegenheit dazu zu geben. Wir sahn beide nicht, daß die Behutsamkeit, die wir in unsern Reden und in unsern Handlungen beobachteten, nichts als die stärkste Liebe war; oder besser, wir fühlten die Liebe so sehr, daß wir genötiget wurden, uns strenge Gesetze vorzuschreiben. Ich ahmte ihm nach, und er ahmte an Bescheidenheit mir nach; und was war dieser Zwang anders als die Sorge, einander zu gefallen, und die Ungewißheit, wie wir dieses einander ohne Fehler zu erkennen geben wollten? Alle Augenblicke erwartete ich ein vertrauliches Bekenntnis von ihm und hinderte ihn doch durch mein Bezeigen daran und befriedigte meinen Verdruß mit neuer Hoffnung. Wir hatten uns durch einen Umgang von zehn oder zwölf Tagen so ausgeredet, daß wir fast nichts mehr wußten, und wir wurden desto ärmer an Gesprächen, je weniger wir unser Herz wollten reden lassen. Wir spielten gemeiniglich nach der Tafel Schach, ein Spiel, das für Verliebte eher eine Strafe als ein Vergnügen ist und das uns sehr beschwerlich gewesen sein würde, wenn es uns nicht das Recht erteilt hätte, einander genauer als außerdem zu beobachten. Ich ließ meine Hand mit Fleiß immer lange auf dem Steine liegen, als wenn ich noch ungewiß wäre, ob ich ihn fortrücken wollte, und ich ließ sie doch nur für seine Augen da. Unsere Spiele wurden alle bald aus. Ich verstund es wirklich besser als er; allein ein Blick in seine redlichen und zärtlichen Augen und eine kleine Röte oder ein verschämter Seufzer, den ich ihm abnötigte, war genug, mich zu dem einfältigsten Zuge zu bewegen. Wir wiederholten diesen Zeitvertreib ganze Stunden, ohne zehn Worte zu reden, und wir befanden uns so gut dabei, daß wir recht von der Tafel eilten, um zum Schache zu kommen. Unser Umgang hatte nunmehr ungefähr vier Wochen gedauert, und binnen dieser Zeit hatten wir einander nicht länger als fünf Tage nicht gesehn, und dennoch waren wir, so sehr wir einander gefielen, nicht vertrauter als im Anfange; und wir würden unstreitig diesen Charakter noch länger behauptet haben, wenn unsere Herzen nicht durch einen Zufall übereilet worden wären. Der Jude besuchte uns nämlich unvermutet bei Tische und kündigte Steeleyn an, daß morgen eine Lieferung für den Hof nach Moskau abgehen würde und daß er für soundso viel Geld sicher und ziemlich bequem mit fortkommen könnte. Ich erschrak über diese Nachricht, daß ich nicht ein Wort sagen konnte, und Steeley ebensosehr. ›Wenn‹, rief er, ›wenn soll ich fort? Geht nur in mein Quartier, ich will gleich nachkommen.‹ Der Jude verließ uns. Und nun ging eine traurige Szene an. ›Ach, Madame‹, fing Steeley an, und schon liefen ihm die Tränen über die Wangen; ›ach, Madame, ich soll schon fort? Morgen schon? – – –‹ ›Und was macht Ihnen denn Ihre Abreise so sauer?‹ Er entsetzte sich über diese Frage und geriet in eine kleine Hitze. ›Sie fragen mich noch, was mir meinen Abschied sauer macht? Sie! Sie![68]‹ Und auf einmal ward er still und suchte seine Wehmut zu verbergen. Mit welcher Entzückung sah ich mich von ihm geliebt! Ich schwieg still oder konnte vielmehr nicht reden. Er wollte fortgehn, und ich nahm ihn in der Angst bei der Hand. ›Wo wollen Sie hin?‹ ›Ich will mich‹, sprach er, ›für meine Verwegenheit bestrafen, die ich itzt begangen habe, und Abschied von Ihnen nehmen und – – –.‹ ›Aber wenn ich Sie nun ersuchte, noch nicht fortzureisen, wollten Sie nicht bei mir bleiben? Wollten Sie nicht Ihr Vaterland, Ihre Freunde einige Zeit später sehn?‹ ›Ach, Madame‹, rief er, ›ich will alles, ich will mein Vaterland ewig verlassen[69], für Sie vergessen. Sagen Sie mir nur, ob Sie mich – – – ob Sie mich hassen?‹ ›Ich liebe Sie‹, fing ich an, ›es ist nicht mehr Zeit, mich zu verbergen, und wenn Sie mich lieben, so bleiben Sie hier, und reisen Sie in meiner Gesellschaft.‹ Nunmehr wagte er die erste Umarmung, und o Himmel! was war dieses nach einem so langen Zwange für ein unaussprechliches Vergnügen! Wieviel tausendmal sagte er mir, daß er mich liebte, und wievielmal sagte ich's, und durch wie viele Küsse, durch wie viele Seufzer wiederholten wir unser Bekenntnis! Nun redte unser Herz allein. Er fragte mich, ob ich seine Liebe nicht gemerkt hätte, und ich fragte ihn ebendas. Wir erzählten einander die Geschichte unserer Empfindungen, und unser Umgang war von dieser Stunde an Liebe und Freude. Die Lieferung ging fort, und mein Liebhaber blieb mit tausend Freuden zurück. Ich schickte noch ein Memorial an den Hof mit ab, um die Erlaubnis zu meiner Abreise zu beschleunigen.

Waren wir vorher nur halbe Tage beisammen gewesen, so wurden uns nunmehr ganze noch zu unsrer Liebe zu kurz. Er suchte meine Liebe, die er schon gewiß besaß, durch die bescheidene Art, mit der er sie genoß, erst zu verdienen; und ich, die ich acht Jahre vermählt gewesen, ohne die Liebe zu kennen, lernte ihren Wert unter den unschuldigsten Liebkosungen erst schätzen. Ich versprach ihm, wenn er mir nicht nach Kurland folgen wollte, mit ihm in sein Vaterland zu gehen, und wenn ich in Moskau die Erlaubnis, dahin zurückzukehren, nicht erhalten könnte, mich mit ihm insgeheim wegzubegeben. ›Bis auf diese Zeit‹, sprach ich, ›bin ich Ihre Braut, und sobald wir uns an einem Orte niederlassen, Ihre Gemahlin.‹

Wir unterhielten uns mit den Vorstellungen von unserm künftigen Glücke noch vierzehn Tage, als ich endlich die Erlaubnis und die Passeporte vom Hofe erhielt, mich nach Moskau zurückzubegeben. Mein Liebhaber war gleich bei mir. Und wie eilten wir, aus diesem traurigen Lande zu kommen! Der Kommandant von einem nah gelegenen Schlosse war zum Nachfolger meines Gemahls ernannt. Ich übergab ihm binnen acht Tagen die Rechnungen meines Gemahls; allein er sah sie nicht an. ›Ihr Gemahl‹, sprach er, ›war mein guter Freund und auch ein Freund des Hofs. Er wird schon gut hausgehalten haben, und ich bin alt genug, ihm bald im Tode nachzufolgen.‹ Ich bat ihn, daß er Befehl zu meiner Abreise geben und die Möbeln und das Haus meines Gemahls von mir zum Abschiede annehmen sollte. ›Ich nehme es an‹, sprach er; ›Sie aber haben die Freiheit, was Ihnen gefällt, mit sich zu nehmen; die Ihrem Stande gemäße Bedeckung ist alle Stunden zu Ihren Diensten.‹

Ich reiste also mit zween Wagen unter einer starken Bedeckung in der Mitte des Junius fort. Mein Gemahl hatte mir über hunderttausend Rubeln meistens an Golde und Juwelen hinterlassen. Die eine Hälfte nahmen wir auf unsern Wagen und die andere auf den, wo unser Christian nebst einigen befreiten Gefangnen saß. Steeley ließ, ehe wir abreisten, alle Gefangenen in und um Tobolskoy herum kleiden, sie drei Tage speisen und jedem etliche Rubeln geben. Es mochten ihrer etliche funfzig sein.

Wir kamen nach einer beschwerlichen Reise von fünf Wochen, die wir Tag und Nacht fortsetzten (weil die Nacht in den warmen Monaten fast so hell wie der Tag bleibt), glücklich in Moskau an. Ich wollte nicht öffentlich bei Hofe erscheinen, und ich suchte nichts, als der Geliebten des Zars, deren Fräulein ich gewesen war, insgeheim aufzuwarten. Die großmütige Katharina empfing mich auf dem Lustschlosse Taninska sehr liebreich. Ich mußte acht Tage bei ihr bleiben, allein alle die Gnade, die sie mir unter dieser Zeit erwies, war mir ohne mei-

33 *Taninska:* Lustschloß in einer der Moskauer Vorstädte.

nen Geliebten eine unerträgliche Last. Sie hörte, daß ich nichts wünschte als das Glück, nach Kurland zurückzukehren, und sie verschaffte mir's, weil sie nur befehlen durfte. Ich eilte nach der Stadt zurück und ließ meinen lieben Reisegefährten, der bei dem englischen Kaufmanne abgetreten war, aufsuchen. Mein Christian brachte mir die betrübte Nachricht, daß er krank und nicht imstande wäre, zu mir zu kommen. Ich ließ mich den Augenblick zu ihm fahren. Seine Krankheit war nichts als der Kummer um mich. ›Ach‹, rief er mir entgegen, ›habe ich Sie nicht verloren? Sind Sie noch meine beständige Freundin?‹ Ich bewies es ihm und blieb den ganzen Tag bei ihm. Er zeigte mir Briefe aus London und insonderheit die, welche der Herr Graf an ihn zurückgelassen hatte. Es war wirklich mein Vorsatz, nach Kurland zu gehn, und nichts als die Schwachheit meines Geliebten hinderte die Abreise. Endlich erhielt er Briefe von dem Herrn Grafen. ›Ach‹, sprach er zu mir, ›er hat seine Gemahlin wiedergefunden, er lebt mit ihr in Holland. Wollen wir nicht zu ihm reisen? Wie glücklich würden wir bei ihm sein!‹ Mehr brauchte er nicht, um mich meinem Vaterlande zu entziehen.

Nun war es beschlossen, wir gingen nach Holland. Ich setzte mich mit ihm zu Ende des Augusts zu Schiffe, und auch die See ward mir durch die Liebe angenehm. Wir haben nichts als eine kleine Seekrankheit und etliche Stürme ausgestanden, die uns nichts getan, als daß sie uns ein paar Wochen länger auf der See aufgehalten haben. Wir sind schon vor vier Tagen ans Land gestiegen und gestern früh zu Lande hier angekommen.«

Dies war die Geschichte von Amaliens und Steeleys Liebe.

Die beiden ersten Tage verstrichen uns unter lauter Erzählungen, und der dritte war der Vermählungstag. Ich und Caroline kleideten unsere Braut an und verliebten uns recht in sie, so reizend war sie; allein der, für den sie so reizend war, hatte nicht weniger männliche Schönheiten. Wir führten sie in sein Zimmer. »Itzt«, sprach sie, »ist es noch Zeit, wenn Sie Lust haben, eine andere zu wählen«, und umarmte ihn. R** kam bald darauf mit seinem guten Freunde, einem Prediger bei der französischen Gemeine, der sie vermählen sollte. Er hatte ihm die Umstände von beiden gesagt. Wir setzten uns nieder, und wir wußten nicht, daß unser Geistlicher eine Rede halten würde. Er tat es mit so vieler Beredsamkeit und mit so vielem Geiste, daß wir alle außer uns kamen und uns keine größere Wollust auf diesen Tag hätten erdenken können. Er redte von den wunderbaren Wegen der Vorsehung bei dem Schicksale der Menschen. Man stelle sich den Grafen und Steeleyn mit allen ihren Unglücksfällen, seine Braut, mich, kurz, uns alle vor, wenn man wissen will, was diese vernünftige Rede für einen Eindruck in unsere Herzen machte. Unsere Seele erweiterte sich durch die hohen Vorstellungen, um den Umfang der göttlichen Ratschlüsse in Ansehung unsers Schicksals zu übersehn, und die Empfindungen der Verwunderung und der Dankbarkeit wuchsen mit unsern erhabnen Vorstellungen. Leuten, die niemals im Unglücke gewesen, Leuten, die zu frostig sind, andrer Unglück zu fühlen, wird das Vergnügen, das wir aus dieser Rede schöpften, als ein scheinheiliges Rätsel vorkommen. Sie werden sich nicht einbilden können, wie sich solche ernsthafte Betrachtungen zu einem Tage der Freude und der Liebe schicken; allein sie werden mir auch nicht zumuten, daß ich ihnen eine Sache beweisen soll, die auf die Empfindung ankömmt.

So verging der Vormittag, und Steeley und Amalie waren verbunden, und unser Bündnis war auch wieder erneuert. Unser Geistlicher, der uns ein recht lieber Gast gewesen sein würde, wollte nicht bei uns bleiben, so sehr wir ihn auch baten. Er sagte, daß er den Nachmittag bei einem jungen Menschen zubringen würde, der sich aus Schwermut das Leben hätte nehmen wollen, aber noch an dem Selbstmorde gehindert worden wäre. Er bat uns, ob wir nicht zur Verbesserung seiner elenden Umstände etwas beitragen und ihn mit einigen Arzneien versehen lassen wollten, damit nicht die Krankheit des Gemüts durch ein verdorbnes Blut noch mehr unterhalten würde. Weil es schien, daß er die besondern Umstände dieses Menschen mit Fleiß verschwieg, so wollten wir nicht zur Unzeit neugierig sein. Wir fragten also nichts, als wo er anzutreffen wäre. Er nannte uns eine alte Schifferin, die ihn, wie er gehört, nur vor etlichen Tagen in ihre Hütte aus Mitleiden eingenommen, in der er sich gestern durch ein Messer, doch ohne Lebensgefahr verwundet hätte. Wir sagten ihm, daß er nicht bitten, sondern uns vorschreiben sollte, wie er's mit dem Kranken gehalten wissen wollte, weil wir gar keine Überwindung nötig hätten, einem Elenden mit einem Teile von unserm Vermögen zu dienen. Wir schickten ihm, sobald der Geistliche weg war, Betten und andere Sachen. Unser Doktor mußte kommen, und das unglückliche Mädchen, von der ich oben geredt habe und die itzt Aufseherin in meinem Hause war, mußte ihn zu dem Kranken begleiten, um zu hören, was er für Anstalten wegen der Speisen und des Getränks machen würde, damit sie alles nach seiner Vorschrift einrichten könnte.

Wir setzten uns zur Tafel, und wir wären eines solchen Tages nicht wert gewesen, wenn wir ihn nicht zu genießen gewußt hätten. Eins war zu dem Vergnügen des andern sinnreich; und Kleinigkeiten, die andre aus Mangel der Vertraulichkeit oder auch des Geschmacks vorübergehn, dienten uns in unsrer Gesellschaft zu neuen Unterhaltungen und erhielten durch die Art, mit der wir uns ihrer bedienten, den Wert, den die prächtigsten Mittel der Freude am wenigsten haben. Kleine Zänkereien, die Amalie mit Steeleyn wegen des kosakischen Mädchens anfing, kleine Vorwürfe, womit wir einander erschreckten, beseelten unsere Vertraulichkeit, und jeder unschuldige Scherz gab uns eine neue Szene des Vergnügens. Die Aufseherin, die wir zu dem Kranken geschickt hatten, kam mit offnen Armen zurück und erzählte uns, daß sie ihren ungetreuen Liebhaber wiedergefunden und daß es der Elende selbst wäre, für den wir gesorgt hätten. »Er«, rief sie, »hat mir alles mit tausend Tränen abgebeten, und ich habe ihm alles vergeben, und ich bitte für ihn. Sein Gewissen hat ihn mehr als zu sehr bestraft. Er sagte mir, daß er sich, da er mich so boshaft verlassen, nach Harlem gewendet und sich allen Ausschweifungen überlassen hätte, um nicht an das zu denken, was er getan. Einige Monate sei es ihm gelungen, nachdem aber hätte er sich der entsetzlichen Vorstellungen, daß er mich und die Frucht unsrer Liebe durch seine Untreue vielleicht ums Leben gebracht, nicht länger erwehren können. Sie hätten ihn genötiget, an den Ort zurückzukehren, wo er mich verlassen, und da er weder das Herz gehabt, sich genau nach mir zu erkundigen, noch auch gewußt hätte, wo er es tun sollte, so hätte ihn endlich eine alte Schifferin auf eben der Wiese, wo er von mir gewichen und auf der er schon zween Tage zugebracht, in der größten Verzweifelung angetroffen und ihn mit sich in ihre Hütte genommen. Hier hätte er, da er ohnedies nichts mehr zu leben gehabt, sein Elend durch den Selbstmord endigen und sich zugleich für seine Bosheit bestrafen wollen. Es steht bei Ihnen«, fuhr sie fort, »ob Sie ihm durch Ihre Wohltaten das Leben und mich wiedergeben wollen. Ich liebe ihn, als ob er mich nie beleidiget hätte, allein« (hier sah sie mich an) »Sie zu verlassen, das kann ich nicht – –.« Sie verdiente unsere Gewogenheit und unser Vergnügen über ihr Glück. Wir ließen ihren Liebhaber in das Haus neben uns bringen und besuchten ihn den Abend noch. Seine Wunde war nicht gefährlich, und die Freude, seine Geliebte wiedergefunden zu haben, hatte ihm so viel Lebhaftigkeit erteilt, daß er mit uns sprechen und uns seinen Fehler abbitten konnte. Er wollte uns alles erzählen, allein wir waren mit seiner Reue zufrieden und erließen ihm die Scham, sein eigner Ankläger zu werden. Wir sahen in seinem zerstreuten und ausgezehrten Gesichte noch Spuren genug von einer angenehmen Bildung und einem zärtlichen Herzen. Er war noch nicht vierundzwanzig Jahre alt und wegen seiner Jugend der Vergebung und des Mitleids desto würdiger.

Den Rest des Abends brachten wir mit einer Musik zu, die wir uns selber machten. Ich spielte den Flügel, und bald sang ich selbst, bald Amalie oder Caroline dazu. Meine kleine Tochter, die in das sechste Jahr ging, war so verwegen, Steeleyn zu einem Tanze aufzufodern, und sie hätte uns bald alle zu dieser Lust verführt. Wir führten endlich unsre beiden Vermählten in ihr Schlafzimmer und überließen sie den Wünschen der Liebe.

Als ich mich den Morgen darauf noch mit dem Grafen beratschlagte, was wir unserm Paare heute für ein Vergnügen machen wollten, trat der Bediente herein und sagte, daß ein Engländer meinen Gemahl sprechen wollte. Sobald er die Türe öffnete, so sagte uns sein Gesicht, daß es Steeleys Vater wäre. Er hatte ein eisgraues Haupt; aber seine muntern Augen, sein rotes Gesicht und[71] trotziger Gang widerlegten seine Haare. »Ich suche«, fing er auf französisch an, »meinen Sohn bei Ihnen, oder da ich in meinem Leben wohl nicht so glücklich sein werde, ihn wiederzusehn, so will ich wenigstens hören, ob Sie nicht wissen, wo er ist. Meine Nachricht aus Moskau geht nicht weiter, als daß ich gewiß weiß, daß er aus seinem Elende in Sibirien hat sollen befreit werden. Und aus Verlangen, einen so teuern Freund von meinem Sohne zu sprechen, bin ich in meinem neunundsiebzigsten Jahre noch einmal zur See gegangen.« »Ihre Reise«, fing mein Gemahl an, »soll Sie nicht gereuen. Ich habe Briefe von Ihrem Sohne aus Moskau und kann Ihnen die erfreuliche Nachricht von seiner baldigen Ankunft zum voraus melden. Wie lange können Sie sich hier aufhalten?« »Das ganze Jahr hindurch«, sprach der Alte, »und noch länger, wenn ich meinen Sohn erwarten kann.« Mein Gemahl befriedigte seine väterliche Neubegierde mit einigen besondern Nachrichten, und ich eilte zu unsrem zärtlichen Paare, um zu sehen, ob sie angekleidet wären. Sie gingen beide noch in ihren Schlafkleidern, und ich ließ dem Grafen heimlich sagen, daß sie aufgestanden wären. »Mein Gemahl«, sprach ich nach einigen kleinen Fragen, »wird gleich kommen und Sie zu einer Spazierfahrt einladen.« Indem öffnete er schon die Türe und trat mit dem Alten herein. In dem Augenblicke riß sich Steeley von seiner Gemahlin, die ihn in den Armen hatte, los und lief auf seinen Vater zu. Der Alte sahe ihn nach der ersten Umarmung lange an, ohne ein Wort zu sagen. »Ja«, rief er endlich, »du bist mein Sohn, du bist mein lieber Sohn! Gottlob, nun will ich gern sterben. Mein Sohn, gib mir einen Stuhl, meine Füße wollen mich nicht mehr halten.« Amalie langte ihm einen, und wir traten alle vor ihn. Seine erste Frage war, wer Amalie wäre. »Seit gestern«, sprach sie, »bin ich die Gemahlin Ihres Sohnes. Sind Sie mit seiner Wahl zufrieden?« Er nahm sie recht liebreich bei der Hand. »Ist es gewiß, daß Sie meine Tochter sind, so küssen Sie mich, und sagen Sie mir, aus welchem Lande Sie sind.« Er machte ihr darauf die größten Liebkosungen und tat allerhand Fragen, die seinem ehrlichen Charakter gemäß und uns deswegen angenehm waren, wenn sie gleich nicht die wichtigsten waren. Es mißfiel ihm, da er hörte, daß wir nicht getanzt hätten. »Nicht getanzt?« fing er an, »wie traurig muß diese Hochzeit gewesen sein! Nein, was unsere Vorfahren für gut befunden haben, das muß man nicht abkommen lassen. An seinem Hochzeitstage muß man froh sein. Wenn wir nach London kommen, so will ich alles so anordnen, wie es an meiner Hochzeit war. Es sind, gottlob! schon funfzig Jahre verstrichen, und ich weiß alles noch so genau, als ob es erst gestern geschehn wäre. Es ist wahr«, sprach er zu Amalien, »Sie sehn viel schöner aus, als meine selige Frau an ihrem Brauttage sah; aber sie war viel besser angezogen.« Er beschrieb ihr mit der Freude eines Alten, dem das gefällt, was in seiner Jugend Mode gewesen, den ganzen Anzug seiner Frau, und sie versprach ihm, wenigstens um den Kopf und den Hals einen Teil von diesem Staate nachzuahmen. Sie tat es auch, und in einem engen Leibchen und großen weißen Ärmeln, drei- oder viermal mit Bande gebunden, und in Locken, die bis auf die Schultern hingen, gefiel sie ihm erst recht wohl. Sein Sohn mußte ihm sein Schicksal erzählen. Er weinte die bittersten Tränen, wenn Steeley auf eine betrübte Begebenheit kam; und mitten unter den Tränen machte er hier und da noch allerhand Anmerkungen. Er fuhr ihn z. B. bei dem Anfange seiner Geschichte recht väterlich an, daß er den Gesandten verlassen hätte und ein Soldat geworden wäre. Bald darauf umarmte er ihn, daß er so rechtschaffen an dem Grafen gehandelt hätte, als er auf dem Wege krank geworden. »Da erkenne ich meinen Sohn«, rief er. »Gott weiß es, ich hätte es ebenso gemacht; das heißt seinen Freunden in der Not dienen!« Bei der Begebenheit mit dem Popen in Rußland machte er ihm keine Vorwürfe. »Deine Liebe zur Wahrheit«, sprach er, »ist dir freilich übel bekommen, und ich wünschte, es wäre nicht geschehn; aber es ist doch allemal besser, seine Meinung frei herauszusagen, als mit einer niederträchtigen Furchtsamkeit zu reden. Ich sehe dich, weil die Sache von der Religion hergekommen ist, als einen Märtyrer an; und ich danke Gott für den Mut, den er dir gegeben hat.« Bei den großen Diensten, die der Graf Steeleyn in Sibirien erwiesen, nahm er eine recht majestätische Miene an. »Nun«, sprach er, »das ist Großmut! Mehr kann kein Freund an dem andern tun. Ach, Herr Graf, Sie haben noch ein redlicher Herz als ich und mein Sohn. Ihnen habe ich meinen Sohn zu danken. Ja, in meinem ganzen Leben, noch in jenem Leben will ich Sie rühmen.« Die Geschichte der Liebe mit Amalien trug Steeley auf der Seite vor, wo er wußte, daß sie seinen Vater am meisten rühren würde. Er ließ alles Freundschaft in ihrem Umgange sein und die Liebe nicht eher als kurz vor der Abreise aus Moskau entstehen. Alles gefiel ihm, alles war schön an Amalien, und je mehr er aus der ganzen Erzählung schloß, daß Amalie vor ihrer Vermählung seinem Sohne keine vertrauliche Liebe erlaubt, desto freudiger ward er, und desto mehr Hochachtung bezeigte er ihr. Da die Erzählung geendigt war, umarmete er Amalien noch einmal. »Ach«, sprach er, »mein Sohn ist Ihrer nicht wert. Er verdient eine liebe Frau; aber wodurch hat er Sie verdient? Kommen Sie mit nach London, ich habe ein großes Haus, und es ist in der ganzen Welt nicht besser als in London.« »Was?« fing ich an, »als in London?« »Und hier bei Ihnen«, fuhr er lächelnd fort und fragte mich, ob ich ihn denn auch etliche Tage bei mir behalten und mir seine Art zu leben, die nicht nach der Welt wäre, gefallen lassen wollte. Er war wirklich bei allen seinen kleinen Fehlern ein rechter liebenswürdiger Mann, und die Aufrichtigkeit, mit der er sie beging, machte sie angenehm. Er war dreist, ohne die Höflichkeit zu beleidigen, und seine Vorurteile waren entweder unschuldig oder doch dem Umgange nicht beschwerlich. Wir begingen diesen und den folgenden Tag das Hochzeitsfest nach seinem Plane. Er war auf die anständigste Art munter und weckte uns alle durch sein Beispiel auf. Sein Leibspruch war, man kann fromm und auch vergnügt sein. »Mein Sohn«, sprach er, »hat mir viel bekümmerte Stunden gemacht, nun soll er mir freudige Tage machen.« Er tanzte denselben Abend bis um eilf Uhr und war gegen R** und den Grafen und gegen seinen Sohn selbst ein Jüngling. »Das heißt«, fing er[72] an, »recht ausgeschweift. So spät bin ich seit vierzig Jahren nicht zu Bette gegangen. Aber ist doch das Tanzen keine Sünde. Wenn ich nun auch diese Nacht stürbe, so würde mir meine Freude doch nichts schaden.« R** fragte ihn bei dieser Gelegenheit, wie er sich denn bis in sein hohes Alter so munter erhalten und wodurch er die Furcht vor dem Tode besiegt hätte, da er ihm nach seinen Jahren so nah wäre. »Daß ich noch so munter bin«, sprach er, »das ist eine Gabe von Gott und eine Wirkung eines ordentlichen Lebens, zu dem ich von den ersten Jahren an gewöhnet worden bin. Und warum sollte ich mich vor dem Tode fürchten? Ich bin ein Kaufmann; ich habe meine Pflicht in acht genommen, und Gott weiß, daß ich niemand mit Willen um einen Pfennig betrogen habe. Ich bin gegen die Notleidenden gütig gewesen, und Gott wird es auch gegen mich sein. Die Welt hier[73] ist schön; aber jene wird noch besser sein.« – – Mußte man einen solchen Mann nicht lieben, der von Jugend auf mit dem Gewinn umgegangen war und doch ein so edelmütiges Herz hatte? Er bezeigte über das große Vermögen, das Amalie besaß, keine besondere Freude. »Mein Sohn«, sprach er, »du hast ein Glück mehr als andre Leute; aber du hast auch eine Last mehr, wenn du dein Glück recht brauchen willst.«

Nachdem er das Vergnügen eingesammlet hatte, das sich ein Vater in seinen Umständen wünschen konnte, so waren alle unsre Bitten nicht vermögend, ihn von der Rückkehr in sein Vaterland abzuhalten. »Ich will in London sterben«, sprach er, »und bei meiner Frau begraben werden; lassen Sie mich reisen, ehe die See stürmisch wird. Ich will Ihnen meinen Sohn zurücklassen und zufrieden sein, wenn er künftiges Jahr zu mir kömmt.« Der junge Steeley wollte seinen Vater nicht[74] allein reisen lassen und sich doch auch nicht von uns trennen. Mit einem Worte, wir entschlossen uns alle, Carolinen ausgenommen, ihn nach London zu begleiten und den Winter über da zu bleiben. Dieses hatte der Alte gewünscht, aber nicht das Herz gehabt, es uns anzumuten[75]. Ehe wir fortgingen, stifteten wir noch ein gutes Werk. Wid, so hieß der junge Mensch, der seine Geliebte ehemals verlassen hatte, war völlig von seiner Krankheit wiederhergestellt. Er wünschte nichts, als seine Braut zu besitzen und mit seinem Vater wieder ausgesöhnt zu werden. Wir hatten an ihn geschrieben; aber er wollte nichts von seinem Sohne mehr wissen und versicherte uns, daß er ihn, so geringe sein Vermögen wäre, doch schon enterbt hätte. Der junge Wid dauerte uns, und wir sahen, daß er die Torheit seiner Jugend in seinen männlichen Jahren wiedergutmachen würde. Er hatte in Leiden bis in sein siebenzehntes Jahr studiert und nachdem auf seines Vaters Willen in ein Kontor gehen müssen. Andreas war auf das erste Wort willig, ihn in seine Handlung zu nehmen. Wir machten ihm eine kleine Hochzeit. Amalie stattete die Braut sehr reichlich aus, und der alte Steeley und der Graf gaben ihm auch tausend Taler. Wir streckten ihm überdies noch ein Kapital in die Handlung vor und meldeten alles dieses seinem Vater, um ihn desto eher zu gewinnen. Wir überließen also Carolinen unsre Tochter und unser Haus zur Aufsicht und gingen zwölf Tage nach des alten Steeley Ankunft zur See. Der Wind war uns so günstig, daß wir in wenig Tagen nur noch etliche Meilen von London waren. Wir trafen ein Paketboot an, und um eher am Lande zu sein, setzten wir uns in dieses; allein zu unserm Unglücke. Wir waren alle in dem Boote bis auf den alten Christian der Amalie. Dieser wollte seinem Herrn die Schatulle, in welcher der größte Teil von Amaliens Vermögen an Kleinodien und Golde war, von dem Schiffe zulangen. Steeley und ein Bedienter des Grafen griffen auch wirklich darnach; allein vergebens. Christian, es mag nun seine Unvorsichtigkeit oder das Schwanken des Schiffes schuld gewesen sein, ließ vor unsern Augen die Schatulle in die See fallen und schoß in dem Augenblicke entweder aus Schrecken, oder weil er sich zu sehr über Bord gehoben[76] hatte, selbst nach. Wir hatten alle Mühe, ihm das Leben zu retten, und ein Schatz von mehr als funfzigtausend Talern war in einem Augenblicke verloren. »Bin ich Ihnen«, fing endlich Amalie zu ihrem Manne an,[77] »noch so lieb als zuvor?« Steeley beteuerte es ihr mit einem heiligen Schwure, und nun war sie zufrieden. Der alte Steeley, so wenig er das Geld liebte, konnte doch den Zufall nicht vergessen. Er hielt dem alten Christian eine lange Strafpredigt. Endlich nahm er Amalien bei der Hand. »Sein Sie getrost«, sprach er, »ich habe, gottlob! so viel, daß Sie beide nach meinem Tode ohne Kummer miteinander werden leben können.« Den armen Christian kostete diese Begebenheit dennoch das Leben. Er kam krank nach London und starb bald nach unsrer Ankunft. Amalie und Steeley hatten eine außerordentliche Liebe für diesen Menschen, und sie ließen ihn den verursachten Verlust so wenig entgelten, daß sie ihn vielmehr für seine Treue auf die großmütigste Art noch auf seinem Sterbebette belohnten. Sobald sie von dem Doktor hörten, daß wenig Hoffnung zu seinem Aufkommen übrig wäre, so ließen sie ihn in ein Zimmer neben dem ihrigen legen, um ihn recht sichtbar zu überführen, daß sie nicht auf ihn zürnten; denn dieses war sein Kummer. Kurz vor seinem Tode besuchte ich ihn noch mit Amalien. Der alte Steeley kam auch und setzte sich vor das Bette des Kranken, um ihn sterben zu sehn. »Er hat ein sanftes Ende«, fing er zu uns an, »und wenn es sein müßte, ich wollte gleich mit ihm sterben.« Der Sterbende schien sich noch einmal aufrichten zu wollen, und indem schoß ihm ein Strom von Blute aus dem Munde, und Christian war tot. »Bin ich nicht erschrocken?« rief der Alte zitternd. Wir wollten ihn in das andere Zimmer führen; allein er konnte sich nicht aufrechterhalten, und wir mußten ihn hineintragen lassen. »Laßt mir meinen Großvaterstuhl bringen«, fing er an, »in diesem will ich sterben, ich fühle mein Ende.« Man brachte ihm den Stuhl, und er ließ ihn vor das Fenster, das nach dem Garten ging, setzen, damit er den Himmel ansehen könnte. Er hub seine Hände auf und bat uns (wir waren alle zugegen), daß wir ihn nicht stören sollten. Nachdem er sein Gebet verrichtet, rief er seinen Sohn. »Ich fühle es«, sprach er, »daß ich bald sterben werde. Der gute Christian hat mich recht erschreckt, aber wer kann dafür? Hier hast du den Schlüssel zu meinem Schreibetische. Gott segne dir und deiner Frau das Vermögen, das ich euch hinterlasse. Es ist kein Heller von unrechtmäßigem Gute dabei.« Der Doktor, nach dem wir geschickt hatten, kam und öffnete ihm eine Ader, wozu der Alte anfangs gar nicht geneigt war. Doch es ging kein Blut. Er schlug ihm eine an dem Fuße, und auch da kam keines. »Sieht Er«, sprach der Alte, »daß Seine Kunst nichts hilft, wenn Gott nicht will? Was hat Er nunmehr für Hoffnung?« »Keine«, sprach der Medikus. »So gefällt Er mir«, war seine Antwort, »wenn Er aufrichtig redt.« »Bedienen Sie sich«, fuhr der Doktor fort, »der guten Augenblicke, wenn Sie noch einige Anstalten zu treffen haben.« Der Alte lächelte: »Als wenn ich in achtzig Jahren nicht Zeit genug gehabt hätte, die Anstalten zu meinem Tode zu treffen. Gott«, fuhr er fort, »kann mich rufen, wenn er will, ich bin fertig, bis auf das Abschiednehmen. Wo sind meine Kinder und meine lieben Gäste?« Wir traten alle mit tränenden Augen vor ihn, und er nahm von einem jeden insbesondere Abschied. »Ach«, fing er darauf an, »wie schön wird's in jener Welt sein! Ich freue mich recht darauf; und wen werde ich von Ihnen am ersten da umarmen? – – Es wird mir ganz dunkel vor den Augen; aber sonst ist mir recht wohl, recht – –.« Bei diesen Worten überfiel ihn eine Ohnmacht, und bald darauf starb er.

Der Anfang unsers Aufenthalts in London war also traurig, und das Geräusche der Stadt und der Besuch ward uns so beschwerlich, daß wir uns gleich nach der Beerdigung entschlossen, den Rest des Herbsts und den Winter selbst auf Steeleyns Landgute, das etliche Meilen von London war, zuzubringen.

Wir lebten daselbst sechs Monate recht zufrieden und meistens einsam, außer daß wir zuweilen die Schwester von der ehemaligen Braut unsers Steeley besuchten und wieder von ihr besucht wurden. Sie war von ihrer ganzen Familie noch allein am Leben und entschlossen, niemals zu heiraten. Niemand als sie wußte, wer mein Gemahl war, denn die andern Nachbarn kannten ihn nicht anders als unter dem Namen des Herrn von Löwenhoek.

Dieses Frauenzimmer, die nichts weniger als schön war, besaß doch die liebenswürdigsten Eigenschaften. Amalie, sie und ich brachten manche Stunde bei der Gruft ihrer Schwester zu und ehrten ihr Andenken mit unsern Tränen. 5

Es war Frühling, und viele Familien aus London besuchten nunmehr das Land. Das nächste Gut an dem unsrigen gehörte dem Staatssekretär Robert. Dieser hatte mit Steeleyn ehmals in Oxford studiert, und Steeley war sehr begierig, ihn nach so vielen Jahren einmal wieder- 10 zusehn. Er schrieb an ihn, sobald er hörte, daß er auf dem Landgute angekommen war, und bat um die Erlaubnis, daß er ihn nebst seiner Frau und noch ein paar guten Freunden besuchen dürfte. Robert, der noch gar nicht gewußt hatte, daß Steeley wieder aus Moskau zu- 15 rückgekommen war, schickte ihm den andern Tag eine Antwort voll Sehnsucht und Freundschaft und zugleich seinen eignen Wagen. R** war unpaß, und wir fuhren also ohne ihn zu Roberten und kamen kurz vor der Mittagsmahlzeit an. Er empfing uns mit vieler Höflich- 20 keit, und Steeley präsentierte ihm meinen Gemahl unter seinem angenommenen Namen als einen Freund, den er mit aus Sibirien gebracht. Unser Wirt, der ganz allein war, nötigte uns ohne Verzug zur Tafel, damit er ungestört mit uns reden könnte. Wir hatten uns kaum 25 niedergesetzt und außer den Komplimenten noch nichts gesprochen, als der Bediente des Staatssekretärs hereintrat und jemanden anmeldete, aber so sachte, daß wir nichts als das Wort ›Abgesandter‹ verstehen konnten. »Müssen wir denn gestört werden?« fing Robert ganz zornig an 30 und eilte den Augenblick nebst dem Bedienten aus dem Zimmer. Wir blieben sitzen und erwarteten mit größtem Verdruß den neuen Gast; aber o Himmel, was für ein Anblick war das für mich und den Grafen, als Robert den Prinzen von S** hereingeführet brachte! Wir spran- 35 gen beide von der Tafel auf und wußten nicht, ob wir in dem Zimmer bleiben sollten. Der Prinz trat auf mich zu, als ob er seinen Augen nicht trauen wollte; indem sah er den Grafen und erschrak, daß er blaß wurde. Robert merkte nichts von diesem Geheimnisse und nötigte den Prinzen und uns, die er seine Freunde nannte, an die Tafel. Der Prinz bedankte sich und sagte, daß er schon gefrühstückt hätte und nur gekommen wäre, sich einige Stunden mit der Jagd zu vergnügen. Robert antwortete, daß er ihm Gesellschaft leisten wollte; allein er nahm es nicht an. »Geben Sie mir Ihren Jäger mit«, sprach er ganz zerstreut; »auf den Abend will ich gewiß Ihr Gast sein.« Indem machte er uns allen ein Kompliment, und Robert begleitete ihn. »Ach«, fing mein Gemahl zu Steeley an, »wo haben Sie uns hingeführt? Wie wird mir's und meiner Gemahlin ergehen? Das war der Prinz von S**. Er wird in den Verrichtungen seines Königs hier sein, und ich, ich – –.« Robert kam mit einer unruhigen Miene wieder. »Ich weiß nicht«, sprach er, »warum der Prinz so bestürzt war. Er muß jemanden von Ihnen kennen oder zu kennen sich einbilden. Er fragte insonderheit nach Ihnen«; (er meinte den Grafen) »allein ich sagte ihm, daß ich mit meinen Gästen selbst noch nicht bekannt wäre. Er ist in den Angelegenheiten des Königs von Schweden seit kurzer Zeit hier und wird vermutlich bald wieder von hier zur Armee abgehn.« Unser Wirt schloß aus unsrer Bestürzung auf ein Geheimnis und bat, daß wir ihm die Sache entdecken sollten, wenn sie nicht von Wichtigkeit wäre. »Ich will Ihnen alles sagen«, fing der Graf an, »und zum voraus um Ihren Schutz bitten, wenn ich ihn verdiene. Ich bin der Graf von G**. Mein Name wird Ihnen durch mein Unglück vielleicht schon bekannt sein. Ich bin vor zehn Jahren als ein schwedischer Obrister so unglücklich gewesen, daß mir das Leben durch das Kriegsrecht abgesprochen worden ist.« Darauf erzählte er ihm das übrige, und wie er zu seiner Sicherheit als Gefangner der Russen den Namen Löwenhoek angenommen. »Der Prinz«, fuhr er fort, »ist mein Feind, und meine Verurteilung ist vielleicht eine Wirkung seiner

Rache gewesen. Ich will Ihnen die Ursache nicht sagen, wodurch er bewogen worden, meinen Untergang zu suchen. Sie ist ihm vielleicht nachteiliger als seine Rache selbst. Ich schließe aus seiner Bestürzung, daß er mich für tot muß gehalten haben, und wer weiß, ob nicht die Zeit seinen Haß gegen mich vertrieben hat. Bin ich«, schloß er endlich, »nicht so unschuldig, als ich Ihnen gesagt habe, so lasse mich Gott noch durch die Verfolgung dieses Prinzen sterben.« Unser Wirt, dem das Blut vor edler Empfindung in das Gesicht trat, reichte dem Grafen die Hand. »Bleiben Sie bei mir«, sprach er. »Ich will alle mein Ansehn bei Hofe zu Ihrer Sicherheit anwenden, und wenn das nicht hilft, mein Leben. Verlassen Sie sich auf mein Wort, ich bin ein ehrlicher Mann. Ich will dem Prinzen in etlichen Stunden entgegenfahren und ihn zurückholen, und bei meiner Zurückkunft will ich Ihnen sagen, was Sie tun sollen. Erzählen Sie mir indessen alles, was zu Ihrem Schicksale gehört, denn ich sehe doch, daß wir itzt nicht essen können.« Wir taten es. »Ich bin Ihr Freund«, fing Robert endlich an, »mehr kann ich Ihnen nicht sagen; ich will es Ihnen aber beweisen.« Er fuhr nunmehr dem Prinzen entgegen und bat, daß wir uns bis zu seiner Zurückkunft in dem Garten aufhalten sollten. Wir erwarteten ihn daselbst zwischen Furcht und Hoffnung und waren beinahe entschlossen, ohne seine Erlaubnis wieder zurückzukehren. Endlich sahen wir ihn nebst dem Prinzen in den Garten kommen, und mein ganzes Herz empörte sich über diesen Anblick. Der Prinz ging gerade auf den Grafen zu, der die Augen niederschlug, und umarmte ihn, nachdem er mir und Amalien ein Kompliment gemacht. »Ich bin Ihr Freund«, sprach er, »wenn ich's auch nicht immer gewesen bin, und ich wünschte, daß Sie der meinige werden möchten. Wir haben Sie alle für tot gehalten. Ich weiß, daß Ihnen bei der Armee zu viel geschehen ist, und es kömmt auf Sie an, was Sie für eine Genugtuung fodern wollen.« »Keine«, antwortete der Graf, »als diejenige, die Sie mir schon erteilt haben, nämlich daß ich unschuldig und der Gnade des Königs nicht unwert bin.« »Sie sind ihrer so wert«, versetzte der Prinz, »daß ich Ihnen in seinem Namen zweierlei zum voraus verspreche. Wollen Sie mit nach Schweden und zur Armee zurückkehren, so biete ich Ihnen die Stelle eines Generals an. Dies wird die beste Ehrenerklärung für das sein, was Ihnen als Obersten schuld gegeben worden ist. Wollen Sie dies nicht, so bleiben Sie hier. Ich will es bei dem Könige so weit bringen, daß Sie als schwedischer Envoyé bei meiner Abreise zurückbleiben sollen. Sagen Sie ja, Herr Graf, damit ich das Vergnügen habe, Sie zu überzeugen, daß ich Sie hochschätze und das Vergangene wiedergutmachen will.« Der Graf schlug beides aus. »Ich bin zufrieden«, sprach er, »daß Sie mein Freund sind und mich in die Gnade des Königs von neuem setzen wollen; mehr verlange ich nicht. Sollte ich mich noch einmal in die große Welt wagen und glücklich sein, um vielleicht wieder unglücklich zu werden? Ich will mein Leben ohne öffentliche Geschäfte beschließen.« Robert mengte sich endlich in das Gespräch, und unsre Furcht vor dem Prinzen verminderte sich. Es sei nun, daß seine Rache gesättigt war oder daß ihn sein Gewissen gequält hatte, so bezeugte[78] er den ganzen Abend eine außerordentliche Freude, daß der Graf noch lebte, den er so viele Jahre hindurch für tot gehalten hatte. Mein Gemahl tat so großmütig gegen ihn, als ob er nie von ihm wäre beleidigt worden. Der Prinz nahm noch denselben Abend von uns Abschied, weil er sehr früh wieder zurück nach London wollte. »Wenn Sie mein Freund sind«, sprach er zum Grafen, »so besuchen Sie mich noch diese Woche, oder ich komme zu Ihnen.« Der Graf versprach es ihm, allein er konnte sein Wort nicht halten; die Zeit war da, daß ich ihn zum andern Male verlieren sollte. Denn in ebendieser Nacht bekam er einen Anfall von einem Fieber. Wir eilten den andern Tag von unserm großmütigen Wirte auf unser Landgut zurück, und das Fieber ließ den armen Grafen kaum mehr aufdauern. Er ward in wenig Tagen so entkräftet, daß er die Hoffnung zum Leben aufgab. Ich kam bis in den neunten Tag weder Tag noch Nacht von seiner Seite und suchte mir ihn recht wider den[79] Willen des Schicksals zu erhalten; so vollkommen liebte ich ihn noch. Drei Tage vor seinem Ende wünschte er, daß ihn der Prinz besuchen möchte. Wir ließen's ihm eiligst melden, und er war den Tag darauf schon zugegen. »Sehn Sie«, sprach der Graf, »daß ich keine Gnade des Königs mehr nötig habe? Ich will nur Abschied von Ihnen nehmen und Sie und mich überzeugen, daß ich als Ihr Freund sterbe.« Der Prinz war so gerührt und zugleich so beschämt, daß er ihm wenig antworten konnte. Er blieb wohl eine halbe Stunde vor dem Bette sitzen und drückte ihm die Hand und fragte, ob er ihm denn mit nichts mehr dienen könnte als mit seinem Mitleiden. Der Graf ward so schwach, daß er kaum mehr reden konnte, und bat den Prinzen, ihn zu verlassen. Der Prinz ging mit der größten Wehmut fort und wagte es nicht, von mir Abschied zu nehmen. Den andern Tag kam der Graf aus einem tiefen Schlafe eine Stunde lang wieder zu sich selber. Amalie, Steeley und R**, der doch selbst noch krank war, traten alle zu ihm. »Bald«, sprach er zu mir, »hätte ich Euch nicht wiedergesehn. Ach, meine Gemahlin, der Tod ist nicht schwer; aber Euch und meine Freunde zu verlassen, das ist bitter. Ich sterbe; und Ihnen, mein lieber R**, überlasse ich meine Gemahlin.« Er starb auch an ebendem Tage. Ich will meinen Schmerz über seinen Tod nicht beschreiben. Er war ein Beweis der zärtlichsten Liebe und bis zur Ausschweifung groß. Ich fand eine Wollust in meinen Tränen, die mich viele Wochen an keine Beruhigung denken ließ, und Amalie klagte mit mir, anstatt daß sie mich trösten sollte. R** mußte die meiste Zeit über das Bette hüten, und auch dieses vermehrte meinen Schmerz. Steeley allein sann auf meine Ruhe und nötigte mich, da die beste Zeit des Jahres verstrichen war, mit ihm nach London zurückzukehren.

Das erste, was mir da wieder begegnete, war ein Vorfall mit dem Prinzen. Er war im Begriffe, von London wegzugehen, und wagte es in Roberts Gesellschaft, bei unsrer Ankunft mir die Kondolenz abzustatten. Er wiederholte seinen Besuch binnen zween Tagen etlichemal und begehrte, daß ich ihm eine Bittschrift an den König mitgeben und um die Ersetzung der eingezogenen Güter meines Gemahls anhalten sollte. Ich gab ihm eine, bloß um ihn nicht zu beleidigen. Noch an ebendem Tage erhielt ich einen Besuch von dem Staatssekretär. »Ich will Ihnen«, fing er nach etlichen Komplimenten an, »die Ursache meines Besuches kurz entdecken. Ich bin ein Abgeordneter des Prinzen, und ich weiß nicht, ob Sie mich ohne Unwillen anhören werden. Wissen Sie, daß ihm seine Gemahlin vor etlichen Jahren gestorben ist? Er wünscht, Sie als Gemahlin mit nach Schweden nehmen zu können, und es ist nichts gewisser, daß er Sie auf das äußerste liebt. Mit einem Worte, er will durch mich erfahren, ob er hoffen darf oder nicht. Nunmehr habe ich Ihnen alles gesagt, und Sie dürfen sich bei Ihrer Antwort nicht den geringsten Zwang antun.« Steeley und Amalie und R** waren zugegen, als er mir den Antrag tat; und R** erschrak, als ob er mich schon verloren hätte. Ich entsetzte mich selbst über die Verwegenheit des Prinzen und antwortete dem Herrn Robert nichts als dieses: »Hier ist mein Gemahl«, und wies auf den Herrn R**. In der Tat war er mir noch so schätzbar, daß ich ihn allen andern vorgezogen haben würde, wenn ich mich hätte entschließen können, mich wieder zu vermählen. Und vielleicht wäre ich, soll ich sagen, zärtlich oder schwach genug dazu gewesen, wenn er länger gelebt hätte. Er starb bald darauf an seiner noch fortdauernden Krankheit, und die Betrübnis über seinen Verlust überführte mich, wie sehr ihn mein Herz noch geliebt hatte.

ZUR TEXTGESTALT

Gellerts Roman wird hier im Wortlaut der Zweitauflage (Leipzig, bei Johann Wendler. 1750) vorgelegt. Dank gilt der Königlichen Bibliothek in Kopenhagen, die ihr Exemplar freundlich zur Verfügung stellte. Die verschollen geglaubte Erstauflage konnte dank einem Hinweis von Herrn Prof. Dr. Kurt Wölfel in dem Exemplar der Universitätsbibliothek Kiel verglichen werden.

Die Erstauflage ist durch folgende Druckfehler gekennzeichnet: »Ungande« statt »Ungnade« (im Neudruck S. 23 Z. 17); »mit mit mir« statt »mit mir« (ebd., S. 44 Z. 13); »ihn« statt »ihm« (ebd., S. 73 Z. 18); »verdienttn« statt »verdienten« (ebd., S. 110 Z. 9/10). Die Zweitauflage hat als Hauptmerkmale: die Kustode »Sie« (1750 S. 53 unten) wird S. 54 nicht wiederholt; die Seitenzahlen 202 bis 219 lauten fälschlich 102 bis 119; S. 78 Z. 9 findet sich der Druckfehler »ans« für »aus« (vgl. ferner die Noten 1, 6, 14 und 36).

Erst- und Zweitauflage weichen an wichtigen Stellen in ihrem Wortlaut voneinander ab. Die Art der Varianten und zudem die Häufigkeit von kleineren Druckfehlern in der Erstausgabe deuten auf eine befremdliche Flüchtigkeit, während die zweite Auflage durch Besserung und Ausmerzung ein der Kunstabsicht Gellerts näherstehendes Bild vermittelt. Diese Feststellung nebst der Tatsache, daß alle übrigen zu Gellerts Lebzeiten erschienenen Drucke dem zweiten folgen – zur einzigen Ausnahme vgl. Note 77 –, berechtigen zu, ja fordern nach einem Neudruck der Zweitauflage. Um eine Überprüfung dieser gattungs- und geistesgeschichtlichen Abweichungen zu ermöglichen, sind die Stellen im Text ausgezeichnet, ihre Varianten aus der Erstausgabe in der folgenden Liste zusammengestellt (die Zahlen geben dabei den Band und die Seite der Erstausgabe an).

Brüggemann gibt in seinem Neudruck (s. Bibliographie) nicht an, welcher Ausgabe er folgt. Seine Berichtigung des Erscheinungsjahres der Erstausgabe (a. a. O., S. 163), die Fußnoten ebd., S. 243 und 244 (vgl. Note 62 dieser Ausgabe) und der ebd., S. 210 Z. 8 (vgl. S. 64 Z. 17 dieser Ausgabe) vermerkte Druckfehler »Glück« für »Unglück« in der Erstausgabe zeigen aber, daß er sich auf diese stützt. Bei einem Vergleich der Erstausgabe mit Brüggemanns Neudruck erweist sich die Ungenauigkeit des Nachdrucks. Die Anzahl und Art der Abweichungen, ferner die häufige Benutzung dieses Neudrucks in wissenschaftlicher Literatur, ließen es gerechtfertigt erscheinen, sie ebenfalls in die Variantenliste aufzunehmen, in der sie unter der Sigle B und Seiten- und Zeilenzahl des Neudrucks von 1933 aufgeführt werden.

In beiden Fällen wurden kleinere Abweichungen nicht aufgenommen, sofern sie Füllsel, Interjektionen, Vorsilben, Orthographie und Interpunktion betreffen. Um die bewußte Absicht Gellerts bei der Überarbeitung der Erstausgabe zu überprüfen, wurden ferner die Drucke des Romans von 1763, 1784 und 1853/54 verglichen. Der Text der Erstauflage bzw. Brüggemanns Neudruck steht demnach im Gegensatz zu allen genannten Ausgaben. Kleinere Abweichungen der eingesehenen Auflagen untereinander sind hier nicht angegeben; keine Ausgabe zu Gellerts Lebzeiten stellt die Titelauflage einer früheren dar.

Durch den erst jetzt möglichen Vergleich mit einem Exemplar der Erstausgabe wurden zusätzlich Wortabweichungen bemerkt, die hier kurz aufgeführt werden: 12, 32 nur / zur; 33, 37 von den Leuten / von Leuten; 41, 18 in Gefahr / in die Gefahr; 44, 26 ein paar / ein Paar; 47, 33 und liebe / und ich liebe; 49, 12 liebe / liebste; 52, 11/12 (Absatz) / (kein Absatz); 53, 1 Kapitalia / Kapitale; 64, 18 ihren / ihrem; 81, 17 erschrecklichen / schrecklichen; 95, 35 trunkner / truckner; 101, 15 großen / größten; 110, 23 Mondscheine / Mondenscheine; 113, 25 zubereitet / bereitet; 116, 7 bewunderlichen / wunderlichen; 122, 32 Danksagung / Danksagungen; 127, 23 französisches / französisch; 135, 7 mein / ein.

Orthographie und Interpunktion wurden behutsam dem heutigen Gebrauch angenähert und normalisiert, dabei blieb jedoch die Satzgliederung durch Semikolon stärker bewahrt, als heute üblich ist. Die altertümlichen Wortformen und der uneinheitliche Gebrauch des unbetonten Endungs-e folgen möglichst getreu der Ausgabe von 1750. Druckfehler der Vorlage wurden stillschweigend gebessert. Geläufige Fremdwörter sind in der heute üblichen Schreibweise verwendet. Dauerkorrekturen betreffen »Livland« für »Liefland«, »Sibirien« für »Siberien«, »London« für »Londen«, die Großschreibung der Anredeform und die Verwendung von Anführungszeichen bei wörtlicher Rede.

VARIANTEN

1. gewiß nicht soviel. (Textfehler 1750; korrigiert nach I, S. 4)
2. Damit sie etwas zu putzen hätte, so hat sie sich oft in ihr Zimmer mit mir verschlossen und mir die schönsten Kleider und den größten Schmuck angeleget, mich vor den Spiegel geführt und mir hundertmal gesagt, daß ich recht englich aussähe. Wenn dieses geschehen war, so kleidete sie ihren Engel zum Zeitvertreibe wieder aus. (I, S. 5)
3. ehe ich noch zehn Jahre alt war, (I, S. 5)
4. uns in jedem Alter, (I, S. 7)
5. Ich glaube gewiß, (I, S. 7)
6. Vaters (I, S. 9; Druckfehler 1747)
7. gewisse aufrichtige (I, S. 10)
8. selbst zu beklagen. (B 167, 31)
9. trank viele (I, S. 16)
10. begegnet. Meine Leser, die viel Romane und Heldenbücher gelesen haben, werden mit dieser Nachricht gar nicht zufrieden sein. Hätte mich nicht einer von den jungen Herren, die mich begleiteten, entführen und eine kleine Verwirrung in meiner Geschichte anrichten können? Ich war ja schön, und wie die Leute sagten, recht sehr schön; und ich bin auf einem so weiten Wege nicht ein einzigmal entführet worden? Ist dieses wohl glaublich? Oder ist es vielleicht mit meinen Annehmlichkeiten nicht so gewiß gewesen? Ich will mir diese Vorwürfe gern machen lassen. Genug, ich bin nicht entführet worden, und ich würde mit einer solchen Verwegenheit eines verliebten Räubers sehr übel zufrieden gewesen sein; denn mir ward ohnedies jeder Augenblick bis zum Anblicke meines Grafen zu lang. (I, S. 16 f.)
11. glücklicher (B 169, 17)
12. Dieses war die Anstalt (I, S. 21)
13. das lebendige Ebenbild (I, S. 25)
14. Ehre (Druckfehler 1750)
15. S**, der schon eine Gemahlin (I, S. 43)
16. in Gedanken (I, S. 44)
17. allein mir kam es immer vor, als ob (I, S. 46)
18. der Wahrheit und Tugend mehr Schaden (I, S. 46)

19. Körper. Vielleicht sterbe ich noch heute an meinen Wunden. Mein (I, S. 51)
20. und der Tugend (I, S. 65)
21. verwandt, (B 186, 32)
22. geschildert (B 189, 25)
23. Vollkommenheit (B 190, 5)
24. zur Tat (I, S. 80)
25. verjüngt (I, S. 85)
26. Mariane kam mit einer Tochter darnieder. (I, S. 85)
27. betäubt (I, S. 91)
28. mit dem Namen (B 194, 2)
29. eilen (B 194, 36)
30. nach und nach entdecken (I, S. 94)
31. auf der Stelle (B 195, 23)
32. als wie (I, S. 96)
33. fallen. Ihre Leibesbeschaffenheit trug zu dieser Schwachheit vermutlich viel bei. Sie war schwanger. Wir brachten (I, S. 96)
34. hatten. Wenn ich einen Roman schriebe, so hätte sie Zeit genug gehabt, sich indessen mit einem Dolche oder mit Gift um das Leben zu bringen. Allein die Verzweiflung in den Romanen und die Verzweiflung im gemeinen Leben haben nicht allemal einerlei Wirkung. (I, S. 97)
35. Mein Mann (I, S. 97)
36. freilich (Textfehler 1750; korrigiert nach I, S. 104)
37. nichts als Gerechtigkeit, das ist, nichts, als was (I, S. 104)
38. wollte (B 198, 28)
39. Wochen (I, S. 108)
40. Mannes. Und ich hätte sowenig mit der vornehmsten Reichsgräfin getauscht, als sie mit mir getauscht haben würde. Das Unglück (I, S. 113)
41. es ist doch (B 201, 21)
42. und der (B 202, 3)
43. oft um Gottes willen, daß (I, S. 118)
44. fort. Wir haben auch in unserm Leben nichts weiter von ihm gehört. Ich wünsche, daß er sich nicht aus Verzweiflung selbst umgebracht haben mag. Unsere Mariane (I, S. 123)
45. Lebens von neuem wieder. (I, S. 126)
46. erfüllen. (I, S. 128)
47. zu sich kömmt (B 220, 9)
48. und schon fast (B 221, 20)
49. was (II, S. 24)

50. ihr beide seid (B 224, 9)
51. nicht möglich (B 225, 32)
52. konnte, als was wir schon ausgestanden hatten. (II, S. 31)
53. uns das (B 226, 31)
54. unnütz (II, S. 37)
55. oder Remourn (B 229, 2)
56. ihm allezeit (B 231, 13)
57. daß (B 232, 5; Druckfehler)
58. umgekleidet (II, S. 48)
59. Eindrücken (II, S. 54)
60. nicht anzusehn, (B 240, 3)
61. tausend Taler darüber (B 240, 21)
62. Mariane (II, 69 u. 70. Textfehler 1748 und 1750, wie in allen frühen Ausgaben. Die Berichtigung finde ich erstmals in der Gesamtausgabe von 1784, nicht, wie Brüggemann, S. 243 Fußnote, angibt, in der von 1839.)
63. doch (B 248, 20)
64. Lebensgefahr (B 248, 21)
65. dieser (B 252, 10)
66. mit (B 258, 33)
67. Sie meiner Freundschaft (B 260, 29)
68. macht? Sie!‹ (II, S. 109)
69. vergessen (II, S. 109)
70. und seinen Fehler (B 268, 1/2)
71. sein trotziger Gang (II, S. 118)
72. fing er endlich an (II, S. 122)
73. Die Welt ist schön (B 271, 13)
74. nicht gern allein (II, S. 124)
75. zuzumuten. (II, S. 124)
76. gebogen (II, S. 125)
77. an, als Christian in dem Boote war, »bin ich Ihnen noch (II, S. 125; ebenso 1750. Hier nach der einzigen bedeutenden Textvariante von 1763.)
78. bezeigte (B 277, 5)
79. wider Willen (B 277, 19)

LITERATURHINWEISE

Neuere Ausgaben

Gellerts Werke. Auswahl in 2 Tln. Mit Einl. und Anm. vers. von Fritz Behrend. Berlin/Leipzig/Wien/Stuttgart: Bong, [1910]. [»Leben der schwedischen Gräfin von G***« in Tl. 2.]

Die bürgerliche Gemeinschaftskultur der vierziger Jahre. Tl. 1: Lyrik und Roman. Hrsg. von Fritz Brüggemann unter Mitw. von Helmut Paustian. Leipzig: Reclam, 1933. (Deutsche Literatur in Entwicklungsreihen. Reihe Aufklärung. Bd. 5.) [»Leben der schwedischen Gräfin von G***« S. 163–278.]

Christian Fürchtegott Gellert: Werke. Hrsg. von Gottfried Honnefelder. 2 Bde. Frankfurt a. M.: Insel-Verlag, 1979. [»Leben der schwedischen Gräfin von G***« in Bd. 2.]

Sekundärliteratur

Erich Schmidt: Richardson, Rousseau und Goethe. Jena 1875.

Elisabeth Kretschmer: Gellert als Romanschriftsteller. Breslau 1902.

Fritz Brüggemann: Gellerts »Schwedische Gräfin«, der Roman der Welt- und Lebensanschauung des vorsubjektivistischen Bürgertums. Eine entwicklungsgeschichtliche Analyse. Aachen 1925.

Kurt May: Das Weltbild in Gellerts Dichtung. Frankfurt a. M. 1928.

Martin Greiner: Die Entstehung der modernen Unterhaltungsliteratur. Studien zum Trivialroman des 18. Jahrhunderts. Hrsg. und bearb. von Therese Poser. Reinbek bei Hamburg 1964.

Robert H. Spaethling: Die Schranken der Vernunft in Gellerts »Leben der schwedischen Gräfin von G.«. Ein Beitrag zur Geistesgeschichte der Aufklärung. In: Publications of the Modern Language Association of America 81 (1966) S. 224–235.

Wolfgang Martens: Lektüre bei Gellert. In: Herbert Singer / Benno von Wiese (Hrsg.): Festschrift für Richard Alewyn. Köln/Graz 1967. S. 123–150.

Alessandro Pellegrini: Die Krise der Aufklärung. Das dichterische Werk von Christian Fürchtegott Gellert und die Gesellschaft seiner Zeit. In: Literaturwissenschaftliches Jahrbuch 7 (1966) [ersch. 1967] S. 37–96.

Carsten Schlingmann: Gellert. Eine literarhistorische Revision. Bad Homburg v. d. H. / Berlin / Zürich 1967.
Claude David: Einige Stufen in der Geschichte des Gefühls. In: Miscellanea di studi in onore di Bonaventura Tecchi. A cura dell'Istituto Italiano di Studi Germanici, Roma. Rom 1969. S. 163–181.
Wolfgang Martens: Über Weltbild und Gattungstheorie bei Gellert. In: Albert R. Schmitt (Hrsg.): Festschrift für Detlev W. Schumann zum 70. Geburtstag. München 1970. S. 74–82.
Derek M. Van Abbé: Some unspoken assumptions in Gellert's »Schwedische Gräfin«. In: Orbis Litterarum 28 (1973) S. 113–123.
Eckhardt Meyer-Krentler: Der andere Roman. Gellerts »Schwedische Gräfin«. Von der aufklärerischen Propaganda gegen den »Roman« zur empfindsamen Erlebnisdichtung. Göppingen 1974.
Paul Mog: Ratio und Gefühlskultur. Studien zur Psychogenese und Literatur im 18. Jahrhundert. Tübingen 1976.
Gottfried Honnefelder: Christian Fürchtegott Gellert. In: Benno von Wiese (Hrsg.): Deutsche Dichter des 18. Jahrhunderts. Berlin 1977. S. 115–134.
Eckhardt Meyer-Krentler: Ein Plagiat macht sich selbständig. Pfeils »Geschichte des Grafen von P.« im Verhältnis zu Prévost und Gellert. In: Zeitschrift für deutsche Philologie 96 (1977) S. 481 bis 508.
Ivar Sagmo: Zur Funktion des Schicksalsbegriffs in Christian Fürchtegott Gellerts Roman »Leben der schwedischen Gräfin von G***«. In: Zeitschrift für deutsche Philologie 97 (1978) S. 513 bis 533.
Carla Freudenreich: Zwischen Loen und Gellert. Der deutsche Roman 1740–1747. München 1979.
John Walter Van Cleve: A countess in name only: Gellert's »Schwedische Gräfin«. In: The Germanic Review 55 (1980) S. 152–155.
Bernd Witte: Der Roman als moralische Anstalt. Gellerts »Leben der schwedischen Gräfin von G***« und die Literatur des 18. Jahrhunderts. In: Germanisch-Romanische Monatsschrift 30 (1980) S. 150 bis 168.
David Hill: »Die schwedische Gräfin«: Notes on early bourgeois realism. In: Neophilologus 65 (1981) S. 574–588.
John Walter Van Cleve: Tolerance at a price: The Jew in Gellert's »Schwedische Gräfin«. In: Seminar 18 (1982) S. 1–13.
Wolfgang Martens: Zur Figur des edlen Juden im Aufklärungsroman vor Gotthold Ephraim Lessing. In: Der Deutschunterricht 36 (1984) H. 4. S. 48–58.

NACHWORT

Fast 220 Jahre trennen uns von dem Erscheinen des hier im Neudruck vorgelegten Romans Gellerts, und, was wichtiger ist als die Zeitspanne von sieben Generationen, zwischen seiner Entstehungszeit und unserer heutigen liegt der Einschnitt, den die seit Klopstock sich vorbereitende Klassik für die Literatur und ihre Wertmaßstäbe mit sich brachte. Wie alle ältere Dichtung gehört auch Gellerts Roman so zu jenen Werken, die unserem ästhetischen Empfinden nicht offen zugänglich sind und einer Einführung bedürfen.

Das allgemeine Bewußtsein von deutscher Dichtung des frühen 18. Jahrhunderts wendet sich vornehmlich der Lyrik, dem Epos und dem Drama zu, während der Roman über lange Jahrzehnte hin in Deutschland einen Stillstand erlebt zu haben scheint. Die Stellung der *Schwedischen Gräfin* in der Gattungsentwicklung des deutschen Romans läßt sich bereits durch chronologische Gegenüberstellungen umreißen. Fast genau einhundert Jahre stehen zwischen Grimmelshausens *Simplicissimus* und Gellerts Roman. Von Schnabels *Insel Felsenburg* trennen ihn etwa fünfzehn Jahre, eine Differenz, die sich in Richtung auf die Gegenwart bis zu den Anfängen eines Musäus, Thümmel und Wieland wiederholt. Die Romane von Hermes, Hippel, Nicolai und von Sophie Laroche sind mehr oder minder fünfundzwanzig Jahre von ihm entfernt; und erst auf diese Gruppe folgt Goethes *Werther*, dessen Ausformung der Gattung endgültig neue Maßstäbe setzt. Im europäischen Zusammenhang gesehen, folgt Gellerts *Schwedische Gräfin* auf die Neuanregungen der Gattung durch Defoe, Marivaux, Prévost und Richardsons Anfänge, während sie ihrerseits zeitlich vor den Romanen Sternes, Diderots und Voltaires liegt.

Der Roman erschien anonym 1747 und 1748 in zwei Bändchen bei dem wichtigsten Verleger Gellerts, Johann Wendler in Leipzig. Die Auflage scheint klein gewesen und bald selten geworden zu sein, da bereits die Bücherlexika von Georgi und Heinsius im 18. Jahrhundert voneinander abweichen, wenn der eine den ersten Teil 1747, der andere ihn 1746 erschienen sein läßt. Jeder dieser Angaben sind mehrere und gewichtige Autoritäten gefolgt, bis Brüggemann 1933 in der Einleitung zu seinem Neudruck 1747 für das richtige Jahr mit großer Überzeugung angab, ohne jedoch auf die Quelle seines Wissens hinzuweisen. Darin aber stimmen die alten Bücherlexika völlig überein, daß der Roman in der Erstausgabe pro Bändchen vier Groschen kostete.

Christian Fürchtegott Gellert, der hier seine Autorschaft in der Anonymität verbarg, war damals knapp über dreißig Jahre alt, hatte sich nach der Promotion zum Magister an der Leipziger Universität über die Fabeldichtung habilitiert, lebte als Lehrer an dieser Hochschule und war als Mitarbeiter der als Bremer Beiträge bekannten »Neue Beiträge zum Vergnügen des Verstandes und Witzes«, des Organs der jüngeren, gegen Gottscheds Diktatur und seine Polemik mit den Schweizern gerichteten Autoren, mit kleineren dramatischen Werken und moralisch-didaktischen Fabeln und Erzählungen hervorgetreten. Gellerts Streben nach Anonymität bei der Veröffentlichung seines Prosa-Erstlings läßt sich wohl einfach damit erklären, daß der Roman immer noch eine verachtete Gattung war, die sich für einen akademischen Lehrer nicht schickte, wie denn die *Schwedische Gräfin* auch sein einziger Beitrag zu dieser literarischen Form blieb.

Dem literarischen Waisenkind kam ein günstiges Schicksal zu Hilfe: noch im 18. Jahrhundert erfolgte in Deutschland ein rundes Halbdutzend Neuauflagen. Mehr noch, ihm wurde die Ehre zuteil, der erste deutsche Vertreter dieser Gattung im Ausland zu sein; es lassen sich zeitgenössische Übersetzungen ins Englische (viermal), Französische (dreimal), Holländische (zweimal), Italienische und Ungarische nachweisen.

Ein Vergleich der beiden Fassungen des Romans von 1747 und 1750 ergibt auf den ersten Blick, daß die gegen den

Roman gerichteten Anwürfe aus dem späteren biographischen Bericht entfernt werden. Diese Veränderung unterstreicht den angestrebten Wirklichkeitscharakter der fiktiven Erzählung. Das Streben nach größerer realistischer Treue verbindet sich mit der Absicht, blinde Motive möglichst auszuschalten, um die Handlungsführung zu vereinheitlichen. Diese Form der Überarbeitung wird allerdings nicht völlig durchgeführt, denn das Blindmotiv (S. 20, Z. 35) bleibt stehen: der vom Wehrdienst befreite Soldat leistet dem Grafen im weiteren Verlauf der Handlung keinen Gegendienst. Weitere kennzeichnende Variationen im Stilwollen des Autors zeigen die Einschränkung der negativen Vergleiche aus dem religiösen Bereich, realistischere Zeitangaben und, allgemein, die sprachlich stilistische Besserung.

Gellerts Interesse an einer bessernden Ausformung seines Romans blieb sein ganzes Leben über bestehen und zeugt von der Auffassung, die literarischen Produkte durch fortgesetztes Glätten und Überarbeiten einer Optimalforderung anzunähern. Aus den Briefen Gellerts und Cramers Biographie kann man entnehmen, daß noch die Ausgabe von 1769 bis 1773 unter seiner tätigen Mitarbeit entstand. Und es war gerade der fünfte Band, der die *Schwedische Gräfin* enthalten sollte, bei dem Gellert auf ärztliches Geheiß seine Mitwirkung unterbrechen mußte und über dem er dann auch starb.

Es ist ein lohnendes Unterfangen, der zeitgenössischen Rezeption des Romans und den dabei verwendeten Kriterien der Wertung nachzuspüren. Quellen dazu bieten vor allem Gellerts Briefe und die Einleitungen zu den Übersetzungen. Hier sollen nur einige Punkte aus diesem Kapitel berührt werden.

Der königlich-preußische Hofrat Ernst Samuel Jakob Brochward in Berlin sucht nach Erscheinen des Romans Gellerts Brieffreundschaft, um ihn zu bewegen, dem Roman entsprechend das Verhältnis zwischen den Herrschaften und den Dienstboten in einer allgemein verständlichen, programmatischen Schrift zu behandeln. So wird aus der preußischen Hauptstadt, in der Friedrich der Große gerade in jenen Jahren die alte Form der absolutistischen Herrschaft aufklärerisch reformiert, ein Zeitthema aus dem Roman aufgegriffen, das in der europäischen Literatur des 18. Jahrhunderts typisch ist und das in Hegels Dialektik von Herr und Knecht einen denkerischen Höhepunkt und eine abschließende Behandlung findet.

Eine interessante Selbstdeutung seines Romans bot Gellert in einem Brief an seine Jungfer Muhme mit dem für das mittlere 18. Jahrhundert in Deutschland typischen Stilideal des Witzes: »Für zwo Stickereien von Ihren Händen schicke ich Ihnen zwei Bücher von den meinigen: einen Katechismus und einen Roman. Wenn Sie der letzte verderbt, so soll Sie der erste unmittelbar wieder bessern. Sie lachen? Wollen Sie mir etwan dadurch sagen, daß ich mir diese Sorge nicht machen dürfte; daß mein Roman selber ein Katechismus wäre? Ei, ei, Jungfer Muhme, das war zu boshaft gelacht! So beißend hat mich noch kein Mensch kritisiert.« Die fingierte Wechselrede des Briefs schafft ein ironisches Eingeständnis des Moralitätsideals.

1752 vertraut Gellert dem Brief an den Freiherrn von Craussen an: »Den ersten Teil hab ich in meinem Herzen und auch gegen meine Freunde oft verklagt. Den andern kann ich leiden und lesen.« Wenn auch der Grund für dieses Unbehagen nicht ausdrücklich genannt wird, indem es einen kritischen Einwand des Briefpartners aufnimmt, dürfte die Annahme kaum fehlgehen, dieses Urteil auf die Episode zwischen Mariane, Carlson und Dormund zu beziehen bzw. auf ihren für den übrigen Roman ungewöhnlichen Einbruch eines irrationalen Rechts des Individuums in den Gellert so wichtigen Bereich des göttlich bestimmten Schicksals.

Demselben Briefempfänger teilt Gellert mit, daß durch Veranlassung des ihm heiligen Richardson eine englische Übersetzung des Romans veranstaltet wird. Diese englische Fassung fand eine glänzende Aufnahme, wenn man einer ausführlichen zeitgenössischen Rezension Glauben schenken darf. Als Beispiel für andere und wegen der stehenden Kriterien der Übersetzer in ihren empfehlenden Vorreden sei sie hier referiert: Nachdem Frankreichs und Englands Genien sich im Bereich des Romans leergeschrieben haben, ist nun auch Deutschland auf die literarische Bühne getreten. »Die Geschichte hat nichts Romanhaftes, Außergewöhnliches oder Unnatürliches, und doch sind ihre Lebensereignisse mitreißend genug und wohlgeeignet, die Aufmerksamkeit des Lesers zu beanspruchen. Der Roman ist voll rührender Szenen und interessanter Situationen, voll guter Gefühle und beispielhafter Lehren wahrer Moral« (The Monthly Review, Vol. VI, 1752, S. 231; Übers. v. Hrsg.).

In Berlin wiederum, wo Gellert sich innerhalb der Akademie Friedrichs des Großen allgemeiner Beliebtheit erfreute – auch Brochward ist ihr Mitglied –, fertigte der Sekretär dieser Institution, J. H. S. Formey, 1754 eine französische Übersetzung des Romans an. Sie ist dem dänischen Minister Baron von Bernstorff gewidmet; die Vorrede enthält unabhängig von der genannten englischen Übersetzung dieselben Argumente und spiegelt so den Zeitgeist der literarischen Kritik.

Mit den siebziger Jahren des 18. Jahrhunderts setzt eine erste Welle der Ablehnung Gellerts ein. Und sie ist gleich international, wie man aus der Vorrede des englischen Übersetzers von Wielands *Agathon* ersehen kann. In Deutschland nimmt die Kritik ungewöhnliche Ausmaße an in dem aufsehenerregenden Briefwechsel *Über den Wert einiger Teutschen Dichter* (1771) von Ludwig August Unzer und Jakob Mauvillon. Gellert wird hier zum Paradebeispiel gewählt, um die Banalität der deutschen Literatur und ihrer Kritik, des Publikums und seines Geschmacks anzuprangern. Goethe und Merck waren es, die gemeinsam in den »Frankfurter Gelehrten Anzeigen« die im allgemeinen richtige Feststellung von der Anwendung auf Gellert trennten.

Klopstock, der in seiner Ode *An des Dichters Freunde*, die später unter dem Titel *Wingolf* Epoche machte, dem Fabel- und Komödiendichter Gellert höchstes Lob gezollt hatte, beanstandete nun aus seinem elitären Bewußtsein heraus, daß Gellert »den ganzen Mittelstand in eine dumme Andacht einschläfert«. Beispielhaft für eine allgemein negative Behandlung im Kreise der Klopstocknachfolger ist etwa der Briefwechsel zwischen den Hainbündlern Johann Heinrich Voß und Büchner. Gegen die Auffassung von der Allgemeinverständlichkeit der Literatur im breiten Publikum tritt bei Voß diejenige vom Dichten für die Auserwählten, eine Haltung, die sich aus Klopstocks Autorität speist und sie zudem mit nationalistischen Argumenten verbrämt.

Kennzeichnend für den neuen Geschmack ist es, daß selbst einer der eifrigsten Mitstreiter Gellerts, Johann Andreas Cramer, in die Biographie (1774) des vor kurzem Verstorbenen kritische Gedanken über den Roman einfließen läßt und ihn nur historisch als »ersten Originalversuch in dieser Gattung« in Schutz nehmen kann.

Wie bei Unzer und Mauvillon wird um die Wende zum 19. Jahrhundert Gellert und sein Roman nochmals zum Paradebeispiel einer gegen eine ganze Schule gerichteten Kritik. Der Einbezug der *Schwedischen Gräfin* in das Lustspiel *Camäleon* des aus dem Kreis um Ekhof und Iffland stammenden, literarisch wenig bedeutenden Beck ruft den mächtigen Einspruch Ludwig Tiecks hervor, der dabei zwar den Menschen Gellert verteidigt, seinen Roman jedoch zusätzlich zum Geschmacksurteil dadurch angreift, daß er ihn auf eine Novelle des Cervantes zurückführen will, die schon in mehreren französischen freien Nacherzählungen verwässert worden wäre, bevor Gellert sie aus diesen übernommen hätte. Leider hat sich Tiecks interessante, aber ungenaue Quellenangabe bislang nicht philologisch belegen lassen.

Goethe räumte dem Roman Gellerts, den er schon seit früher Kindheit aus der väterlichen Bibliothek kannte, einen kleinen Platz in seiner Autobiographie ein. Ein im Weimarer Goethe-Archiv erhaltenes Blatt von Riemers Hand zeigt, daß er für das siebte Buch von *Dichtung und Wahrheit* eine historische Behandlung der Gattung des deutschen Romans vom *Simplicissimus* zum *Werther* plante und Gellert dabei einen gebührenden Platz zuweisen wollte. Die fertige Buchform seiner Biographie nennt dann die *Schwedische Gräfin* nur in einer Apposition zur Kennzeichnung eines zeittypischen Werkes seines Leipziger Tischgefährten Pfeil; Gellerts Roman dient also wegen seiner allgemeinen Bekanntheit zur Hilfe des Lesers.

Die frühe Romankritik des 19. Jahrhunderts bei O. L. B. Wolff und Gervinus wiederholt die Argumente gegen den sentimentalen Familienroman Richardsons am Beispiel Gellerts. Eine Sonderstellung nimmt Eichendorffs Studie *Der deutsche Roman des achtzehnten Jahrhunderts in seinem Verhältnis zum Christentum* ein, weil hier die *Schwedische Gräfin* in ihrer moralischen Haltung kritisiert wird, die die christliche Religion zur bloß praktischen Nützlichkeit veräußerlicht und das Kausalverhältnis, das nur zwischen dem lebendigen Glauben und der Sittlichkeit besteht, auf den Kopf stellt.

Die germanistisch fachwissenschaftliche Betrachtung des Romans beginnt mit Erich Schmidt. Seine finalistische Literaturauffassung im Hinblick auf Goethe und die positivistische Methode lassen ihn die *Schwedische Gräfin* als historisch interessante, aber völlig mißlungene Richardson-Nachahmung und unzulänglichen Vorläufer des Goetheschen Romans ansehen und in seiner Beschreibung als faustdicke Christlichkeit und Moral, überladene Handlung und abgeschmackte Charakteristik mißverstehen.

In seiner entwicklungsgeschichtlichen Analyse, der bald ein Neudruck folgte, stellte Fritz Brüggemann dann erstmals die geistigen Tendenzen fest, die den Hintergrund des Romans bilden. Die bürgerlichen Ideale einer frühen Gemeinschaftskultur verbinden pädagogische Überzeugungen der Populäraufklärung mit einem pietistisch beeinflußten Gefühlsbereich zu der neuen bürgerlich-sozialen Haltung einer innerweltlichen Redlichkeit und Mäßigung, in der Verstand und Religion zusammenfallen und im Ideal der Gelassenheit jeden subjektiven Anspruch einer persönlichen Schicksalsgestaltung auffangen.

Kurt May erkannte, darauf aufbauend, für die *Schwedische Gräfin* wie für Gellerts Schriften allgemein den Übergangscharakter des Weltbildes zwischen Aufklärung und Irrationalismus. Alessandro Pellegrini ergänzte die Betrachtung des Romans um den Aspekt der gleichzeitigen politischen Veränderung in der Theorie und ersten Anwendung des aufgeklärten Absolutismus und wies auf die Bezüge Gellerts zur Populärphilosophie des Deismus hin. Martin Greiner schließlich betont die volkstümlichen Züge und die Rolle des Romans in dem Prozeß, durch die moralische Lauterkeit des Verfassers die konventionelle Ebene des bürgerlichen Geschmacks in dieser Gattung zu legitimieren.

Eine weitere Zone der Deutung könnte sich aus den Anspielungen auf Zeitverhältnisse ergeben. Die Nennung der verschiedenartigsten Ortschaften folgt zwar der Tradition des Kavaliersromans und zeigt wie dieser die nachlässige Behandlung der Landschaften und Räume, doch ist die Auswahl der Realien zweifellos bezeichnend für eine geschickte Lokalisierung in repräsentativen Zentren der politischen Gebilde aus damals jüngstvergangener Zeit. Daß diese Betrachtungsweise nicht einfach aus der Luft gegriffen ist, zeigt sich z. B. darin, daß eine englische Übersetzung das G*** des Familiennamens auf die berühmte schwedische Adelsfamilie Güldenstern bezieht. Dies trifft auch mit der Angabe überein, daß der Vater des Grafen der schwedische Abgesandte in Moskau gewesen sei. Überhaupt finden sich bei genauer Lektüre mancherlei solche Hinweise auf die Wirklichkeit, die nach der Möglichkeit der historischen Festlegung verlangen. So verweist etwa auch der angenommene Name Löwenhoek, den der Graf sich während der Gefangenschaft zulegt, anspielend auf den schwedischen General Löwenhaupt, über den damals mehrere Lebensbeschreibungen erschienen, die manches Detail des Romans enthalten. Die Verwendung der ungewöhnlichen Städtenamen, besonders Pohem, ferner die Kenntnis der »Bodoggen«-Tortur in Rußland sind Einzelelemente, die an tatsächliche Quellen denken lassen, die dann natürlich im Roman verändert und umstrukturiert sind. Fragt man nach der Bedeutung dieser allusiven Bezüge, so fällt zunächst Sachsens Rolle im russisch-schwedischen Krieg und der Bezug zu Polen ins Auge. Wichtiger aber könnte noch eine Beziehung zu Prinz Moritz von Sachsen, dem Maréchal de France, sein, der der natürliche Sohn Augusts des Starken mit seiner auch von Voltaire gehuldigten schwedischen Mätresse, der Gräfin Aurora von Königsmark, war. Schon der Baron Ludwig von Pölnitz hatte diese Liebesgeschichte in seiner üblichen freien Schaltung mit den Tatsachen genüßlich seinem Skandalbericht von Anno dazumal *La Saxe Galante* (1734) einverleibt. So gesehen, wäre Gellerts Versuch in der Gattung des Romans vielleicht eine versteckte Huldigung an den standhaften Prinzen, der trotz seiner hohen Ämter im französischen Königreich die protestantische Religion nicht aufgab, und an die glorreiche Tradition des sächsischen Fürstenhauses allgemein.

Das *Leben der schwedischen Gräfin von G**** folgt schon vom Titel her einer Mode des Romans im 18. Jahrhundert: der fiktiven Lebensbeschreibung. Traditionell ist auch der Stand, den die Erzählerin und Titelgestalt verkörpert. Schließlich zeigt der Titel noch einen weiteren Zug, den die Handlung bestätigen wird: Deutschland wird als Ort der Handlung umgangen. Neu ist auf der anderen Seite für den deutschen Roman, daß hier erstmals einer Frau das Recht eingeräumt wird, ihre biographische Rechtfertigung vorzulegen. Rechtfertigung ist wohl der gemäße Ausdruck für den Handlungscharakter, der moralisch-ethisch zwischen der Beichte und dem neutralen Bericht angesiedelt ist.

Die Form und Struktur der Erzählung ergibt sich aus der autobiographischen Fiktion; die Verbindung der Erzählerin mit der Hauptrolle der Handlung verbürgt die Allwissenheit über das Erzählte, die Möglichkeit der zeitlichen Auflockerung durch raffenden Bericht von vergangenen oder durch koordinierende Hinweise auf zukünftige Begebenheiten. Schließlich ermöglicht diese Verbindung den offenen

Schluß, in dem die erzählte Handlung und die Situation des Erzählens zusammenfallen. Unterbrochen wird die Erzählform nur durch die eingeschobenen Briefe, jene neue Erzähltechnik des 18. Jahrhunderts, die von Richardson über Rousseau zu Goethe ihre weltliterarischen Triumphe feiern sollte. Bei Gellert steht der Brief noch durchaus traditionell und ordnet sich der Erzählhaltung der fiktiven Biographin unter, wie es am klarsten daraus hervorgeht, daß die Briefe Carolinens (S. 16) und des Grafen (S. 68 u. 79) zugleich die Zeitstruktur der Handlung sprengen. Der Brief ist in diesem Roman ein erzähltechnisches Mittel, das nur den Wahrheitscharakter der Biographie unterstreichen soll. Diese Absicht wird auch dadurch vertreten, daß die Familiennamen der Hauptgestalten abgekürzt werden und für Caroline ein zugestanden falscher Name gesetzt wird (S. 16). Vor dem Individuum in seiner Unverwechselbarkeit wird noch ausgewichen, um mit der Vermeidung der wahren oder vollständigen Namen den Wert der fiktiven Authentizität zu steigern.

Gewiß beabsichtigte der Autor mit der Wahl einer Erzählerin, den psychologischen Charakter des Werkes zu vertiefen. In seiner Abhandlung *Von dem guten Geschmacke in Briefen* (Leipzig, bei Johann Wendler. 1751, S. 75 f.) hat Gellert diese Überzeugung allgemein vertreten: »Die Empfindungen der Frauenzimmer sind zarter und lebhafter als die unsrigen. Sie werden von tausend kleinen Umständen gerührt, die bei uns keinen Eindruck machen. Sie werden nicht allein öfter, sondern auch leichter gerührt als wir. Eine Vorstellung macht bei ihnen geschwind der andern Platz, daher halten sie sich selten bei einem guten Gedanken zu lange auf. (...) Ihre Gedanken selbst sind wie ihre Eindrücke leicht, sie sind ein scharfes, aber kein tiefes Gepräge. (...) Sie wissen durch eine gewisse gute Empfindung das Gefällige, das Wohlanständige, in dem Putze, in der Einrichtung eines Gemäldes, in der Stellung des Tischgerätes leicht zu bemerken und zu finden; und diese gute Empfindung der Harmonie unterstützt sie auch im Denken und

Briefschreiben.« Offenbar ist es, daß sich diese Kriterien einer dem Sentimentalismus huldigenden Geschlechterpsychologie in Gellerts Sinn auf die schwedische Gräfin anwenden lassen, und besonders fällt in der Appositionsverbindung des Gefälligen mit dem Wohlanständigen auf, wie das zugrunde liegende horazische Zitat aus dem dortigen Intentionscharakter der Dichtung entfernt und zu einer allgemeinen moralischen Fähigkeit erhoben wird. Im Roman wird die Erzählung äußerlich episch gehalten, sie umschreibt nur die psychologische Individualität der Erzählerin, in der sie sich bricht. Dementsprechend ist auch der Charakter der Sprache äußerlich und berührt nur an wenigen Stellen die Säkularisationen des pietistischen Wortgebrauchs, wenn auch die Gleichzeitigkeit des Romans mit diesem geistesgeschichtlichen Phänomen notwendige Gemeinsamkeiten im Wortmaterial hervorruft. Mehr noch, die Sprache vermeidet geradezu die Wiedergabe der Affekte und entwickelt in ihren schmucklosen Sätzen keine plastische Abschattierung der Charaktere. Typisch ist für diese Sprache die Armut des Ausdrucks im Wortbereich des Sprechens, die Unfähigkeit, Innenräume oder Landschaften sprachlich erstehen zu lassen. Die *Schwedische Gräfin,* ließe sich zusammenfassend sagen, steht an einem geistesgeschichtlichen Wendepunkt, von dem aus die sentimentalen Möglichkeiten und Situationen thematisch gesehen und einbezogen werden, ohne über die Ausdrucksmöglichkeit der Irrationalität zu verfügen.

Die Episodenstruktur des ganzen Romans dient zur Erprobung sozialer Wirklichkeit in Extremsituationen. Die Grundlage dafür bildet die soziale Einheit der Familie mit den aus ihr entstehenden Handlungseinheiten über die Ereignisse von Geburt, Erziehung, Freundschaft und Liebe, Ehe und Tod. Im Nachklang des alten Standesideals eröffnet sich von hierher der Ausblick in die Parallelwelt der Dienerschaft, die, kennzeichnend genug für Gellerts Weltbild einer christlich gestimmten Aufklärung, keinen Gegensatz zu der Oberschicht bildet. Der Roman führt uns mehr als vierzig Einzelpersonen vor Augen, von denen auch wieder mehr als die Hälfte im Verlauf der Handlung sterben müssen, ein offenkundiges Zeichen dafür, daß der Autor außerhalb seiner Hauptgestalten Situationen erproben will, die er durch Individualitäten auszufüllen nicht für nötig hält. Nachlässig äußerlich wie die Einführung ist so das Ausscheiden der Personen, nur die kontrastierenden Situationen umschreiben ein gemeinsames Leitbild des hier vorgezeichneten Lebens: das Thema des Menschen, der in der Verbindung von Vernunft und Religion, gelassen und großmütig, in einer idealisierenden Konstellation der Seelen und Tugenden das Glück geduldig erwartet, ein Glück zudem, das sich ohne Wertunterschied in diesem Leben oder auch erst im Jenseits einstellen mag. Gellert zeigt sich hier wiederum als Übergangsgestalt; seine Verbindung von Herz und Geist knüpft an das ältere rationalistische System an und durchbricht es gleichzeitig. Sein Roman bietet ein Vorspiel für die Seelenverfassung der kommenden Generation, aber er macht nicht endgültig Schluß mit der vorhergehenden; und diese unklare Bindung spiegelt sich im Bürgertum der Zeit, wird Grund seines Erfolgs und seiner Beliebtheit.

Die Handlungsteile des Romans erstrecken sich in kontrollierbarer Verflechtung über einen erzählten Zeitraum von knapp vierzig Jahren. Die Episoden umfassen weit voneinander entfernte Länder und Gebiete. Diese Häufung von kontrastierenden Handlungselementen ist mehrfach zur Kritik des Romans herangezogen worden, bis sie von Richard Benz als geopolitische Sichtweite positiv erkannt wurde, eine Deutung, der man um so mehr zustimmen wird, wenn man die *Schwedische Gräfin* etwa mit dem mehr als fünfzig Jahre späteren, thematisch ähnlichen Roman der Mme. Cotton *Elisabeth oder die Verbannten in Sibirien* (1805) vergleicht. Zu dem geopolitischen Aspekt kommt die innere Zusammengehörigkeit der Handlungsepisoden angesichts der im Roman aktualisierten Kriegs- und Nachkriegssituation. Die Gegenüberstellung mit unserer Gegenwart und ihrer Problematik von Gefangenschaft, vermißten Soldaten und Onkelehen kann manches Detail menschlich glaubhafter erscheinen lassen, als es in früheren Zeiten der Fall gewesen sein mag.

Alle diese Elemente gehorchen dem Gesetz, damals aktuelle soziale Wirklichkeit auf dem Boden der bürgerlichen, rational-sentimentalistischen Lebenskultur zu erproben. Schon die Herkunft der Gräfin aus dem verarmten Adel weist auf ihren Bezug zum Bürgertum, wie er sich später in der Ehe mit Herrn R** manifestiert als überstandesmäßige Auffassung vom Menschen. Hierzu paßt auch die Besonderheit der Handlung, daß Kinder nur in sozial ungewöhnlichen Situationen geboren werden, die aus der bewußten Bindung zweier Menschen entstehen, nicht aber in den von der ständischen Gesellschaft diktierten Ehen. Die schwedische und die sibirische Gräfin bleiben in der Pflicht- und Standesehe kinderlos und erreichen das Familienglück erst dort, wo sie sich selbst und bewußt zur Ehe entscheiden. Die Voraussetzung für dieses Ideal, die Bewußtheit des menschlichen Lebens, hat zur Folge, daß Gellert sich nicht für die Kindheit seiner Romangestalten interessiert. Am auffälligsten ist dies im einleitenden Bericht der Gräfin, deren Leben ja das Thema des Buches bildet. Kinder haben in Gellerts Roman nur Bedeutung im Bezug auf die Elternschaft ihrer Erzeuger und Ernährer, d. h. auf einen sozialen Aspekt des Daseins der Erwachsenen. Nur an einer Stelle – und auch hier rückt das soziale Faktum sofort in den Vordergrund – bedient sich Gellert des Kindes zur Fortführung der psychologischen Handlung, dort nämlich, wo der heimgekehrte Graf aus dem Kindermund durch das einzige Wort »Mutter« von der in seiner Abwesenheit erfolgten Bindung seiner Frau an Herrn R** erfahren muß. Diese bürgerliche Ehe selbst, die bis zu dem Wechsel der Bezeichnung »Gemahl« in »Mann« den Sozialaspekt durchführt, ist eine Übersteigerung eines zeitgenössischen sozialen Themas; Gellerts Behandlung bildet die deutsche Extremform des rational und sentimental ins Bürgerliche verlagerten Phänomens des Cicisbeo, das typisch genug mit erneuter Durchbrechung der Standesgrenzen in der Verbindung des Grafen mit Caroline gespiegelt ist und in der ehelichen Gemeinschaft zu viert unter geschickter Vermeidung des leichten Happy-Ends einer Ehe zwischen Caroline und Herrn R** seinen abschließenden Höhepunkt hat. Ähnliche Extremformen des sozialen Experiments in der Romanhandlung zeigen die Ehe Carlsons mit Mariane, die etwa zu Lessings Behandlung des Themas von der Verwandlung der Geschlechterliebe in Geschwisterliebe im *Nathan* einen kennzeichnenden Kontrast bildet, die Dormund-Episode, die des unglücklichen holländischen Mädchens oder auf der anderen Seite des Romans Steeleys Verlust seiner Braut, die Abschnitte über Gefangenschaft, Tortur und Verbannung bis zu der Liebe zwischen der sibirischen Gräfin und Steeley oder der für die Mitte des 18. Jahrhunderts ungewöhnlichen Zeichnung des polnischen Juden.

Alle sozialen Experimente dienen der pädagogischen Absicht, das bürgerliche Publikum auf die Gelassenheit der Tugend und das vergnügte Selbstbescheiden einzustimmen. Der Verstand erkennt die Tugend und findet durch sie das größtmögliche Glück, das sich in der zufriedenen Gelassenheit äußert. Widerwärtige Schicksalsschläge – denn nur das Schicksal treibt die Handlung voran – werden vom Verstand gedeutet und in Tugendhaltungen abgefangen, denn der geistige Prozeß, der hinter diesem Denken steht, vollzieht sich im Kreise als eine positive psychologische Täuschung. Indem der Verstand das Gefühl zur Tugendhaltung hin regiert, ist jede Situation die des für diesen Moment größtmöglichen Glücks, so daß alle Zumutungen des Schicksals zufrieden ertragen werden können. Jeder Situationswechsel zum Schlechteren muß immer von außen kommen, ist also unbeeinflußbar vom Einzelnen. Die entsprechende Passivität versteht die äußeren Gegebenheiten, indem sie sie annimmt, stets als die bestmöglichen und bildet so von Fall zu Fall den Ausgangspunkt für die weitere Entwicklung. So bieten alle Handlungsbruchstücke Beispiele für das Hauptproblem des Verhältnisses zwischen dem Individuum und dem Schicksal, ein Problem, das Gellert, bezeichnend für die Gemeinschaftskultur der vierziger Jahre des 18. Jahrhunderts, durchgängig unter sozialen Aspekten erprobt.

Die geistige Welt hinter Gellerts Roman beruht damit auf einer platten dualistischen Weltanschauungsutopie. Die positiven Tugenden und Eigenschaften sind persönlich erworben, während alle Widerwärtigkeiten des Lebens dem unbeeinflußbaren Schicksalswalten zugeschrieben werden. Indem sie aber nun verstandesmäßig in ihrer Herkunft und persönlichen Unbeeinflußbarkeit erkannt sind, werden sie zugleich bewältigt und gebannt. So wird der Mythos der bestmöglichen Welt auf die private Situationsabfolge hin vereinzelt und durch die fast fatalistische Anpassung einer persönlichen Passivität im Rückzug auf eine ortlose Wunschwelt der ausschließlich Guten ermöglicht, eine Utopie, die den vagen Kompromiß gegenüber einem unabweislich gefühlten, gedanklich aber nicht gelösten Gegensatz darstellt.

INHALT